我が家に来た脱走兵

～一九六八年のある日から～

小山帥人 著

東方出版

我が家に来た脱走兵―1968年のある日から●目次

第一章　早春の夕暮れ……7
1　背の高い青年／9
2　ベトナム戦争／11
3　「イントレピッド4」／14
4　ベトナム戦争とメディア／16
第二章　我が家に来た脱走兵……21
1　母の秘密メモ／23
2　キャルの脱走声明／30
3　我が家での討論／34
4　家族への想い／41
5　こっそり京都の繁華街へ／44
6　かくまった人たちは沈黙を守った／47
第三章　脱走期間のキャルの行動……51
1　ベ平連との連絡／53
2　キャル、大阪に移動／57
3　脱走兵を預かった大阪の人たち／62

4 キャル、京都や大阪にかくまわれる／67
5 我が家に来たことの記述／74
6 奈良での生活／77
7 少女の日記／80
8 再び東京へ／88
9 根室から漁船に乗って脱出／93
10 ソ連船に乗り移る／104
11 モスクワでの生活／112
間奏曲　シャンソン「脱走兵」／122

第四章　脱走を伝えた新聞記事……125

1 アメリカ……家族は死んだかと心配した／127
2 日本……犯罪扱いの新聞記事／132

第五章　キャルを探して……139

1 封印を解く／141
2 キャルはどこにいるのか／143
3 キャルからの手紙／145

4　キャルとの電話／148

第六章　再会……153

1　「オハヨー」と日本語で／155
2　キャルがたどった軌跡／162
3　スウェーデンでの恋／165
4　アメリカでの尋問／172
5　スウェーデンで銀行強盗／178
6　帰国後の生活／184
7　四八年前の嘘／187
8　キャルと会って／190
9　夕暮れの浜辺／194

参考文献／198　あとがき／200
年表1／20　年表2／124　年表3／151

凡例
（1）人物名は初出のみ読み方を付し、以降は略した。
（2）米上院文書は立教大学所蔵文書を著者が翻訳した。
（3）掲載写真は、一二一ページのAP／アフロ提供の写真以外は著者提供による。

第一章　早春の夕暮れ

1　背の高い青年

三月のはじめ、肌寒い夕暮れに、ひとりの若いアメリカ人が我が家にやって来た。眼鏡をかけていて、背は高い。長めのジャケットを着て、持ち物はボストンバッグひとつだった。

彼はベトナム戦争に従軍していた米兵で、戦争がいやで脱走した。

ぼくの家は京都の伏見にある二階建ての小さな家だが、壊れかけた塀があり、外からは中が見えにくい状態だった。

青年は「キャルと呼んでください」と言った。本名はフィリップ・アンドリュー・キャリコート。顔は子どもっぽいところが残っている。

初めは何を話していいか、とまどった。ぼくのつたない英語では話が伝わりにくく、キャルも居心地が悪そうだったが、一緒に食事をして、アルコールも入ると、彼は饒舌になってきた。ビールよりも、日本酒が好きだと言った。

今もよく覚えているのは、キャルが教えてくれた英文法の比較級、最上級というものだ。

「ビーア（ビール）・イズ・グッド、ウイスキー・イズ・ベター、サケ（酒）・イズ・ベスト」

キャルは我が家で食事をし、酒を飲み、風呂に入り、我々とおしゃべりしたり、一人で運動したりした。我が家は小さく、一階の居間兼寝室の四畳半で話をし、夜は二階の部屋でぼくとともに眠った。

ぼくたちがキャルを預かったのは三日間である。一度だけ夜に外出しただけで、あとはカーテンを引いた家に閉じこもっていた。そして三日後、キャルはボストンバッグを持って、迎えの車に乗り込んだ。

これらの一切は、誰にも口外しない約束だった。メモもとってはいけないと言われた。ただ、ぼくは、我が家でのキャルの様子を動く映像で撮った。その映像が、いつか役に立つかもしれないという漠然とした気持ちがあったからだ。まだビデオがない時代で、カメラには音は入らず、別の録音機で音を録ったので、声と映像はぴったり合わない。カメラはフィルモという堅牢な一六ミリ撮影機だった。

そのことを、ぼくは誰にも言わず、なかば忘れていたのだが、何かの機会に「キャルはどうしているかな」と思い起こすことが何度かあった。

キャルが我が家に来たのは一九六八年。キャルは一九歳、ぼくは二五歳だった。

2　ベトナム戦争

これより四年前の一九六四年八月にトンキン湾事件が起きた。ぼくはこの年の春、NHKに就職し、七月に大阪放送局に来た。報道部で日々の出来事を撮影するやたら忙しい日々を送っていた。

トンキン湾事件とは、北ベトナム軍がアメリカの駆逐艦を攻撃したというものだ。一回目の事件は八月二日に北ベトナム（ベトナム民主共和国）のトンキン湾で起こり、北ベトナム側も攻撃を認めた。

「わが巡視艇は領海と漁民を守るため急ぎ出動し、敵艦を領海から追い出した」（北ベトナムの声明）

八月四日、アメリカは再度、トンキン湾で攻撃を受けたと発表し、アメリカの世論は報復に沸き立っていく。のちにこの二回目の攻撃は存在しなかったことが明らかになった。「ニューヨーク・タイムズ」が七一年にペンタゴン機密文書を暴露したのだ。当時、国防長官だったマクナマラものちに「北ベトナムからの攻撃はなかった」と認めている。

しかし、六四年八月、アメリカの上院は八八対二、下院は四一六対〇で大統領に戦争のための強力な権限を与える決議をした。いわゆる「トンキン湾決議」である。立憲体制でも、戦争は容易に起こりうる実例だ。ケネディが暗殺されることで大統領になったジョンソンは、北ベトナムに対する攻撃を宣言した。こうして、それまで南ベトナム（ベトナム共和国）政府と南ベトナム解放民族戦線との戦いであったものが、アメリカと北ベトナムの戦争にまで拡大した。

翌六五年二月、ジョンソン大統領は継続的な北ベトナム爆撃に踏み切った。「北爆」である。日本は敗戦からまだ二〇年、爆撃、空襲という言葉が、記憶を伴い、実感を持って受け止められた時代、世論のアメリカへの批判は高まった。

北爆開始から二か月後の、六五年四月、「ベ平連（ベトナムに平和を！市民文化団体連合）」が作られ、はじめてのデモを行なった。参加者は一五〇〇人。哲学者の鶴見俊輔《つるみしゅんすけ》らが呼びかけ、作家、小田実《おだまこと》が代表になった。同連合はのちに「ベトナムに平和を！市民連合」に改称した。

ベ平連の特徴のひとつは、誰でも出入り自由の無党派反戦運動であることだ。これまでの社会運動が党や労働組合といった堅固な組織に支えられていたのとは違い、自由な市民の自由な意志によって運動が行なわれた。また、日本がアメリカを支持したことから、日本が戦争を支えているという事実を認め、戦争に加担することを拒否するという姿勢を明らかにしていた。

この年の一一月、べ平連は作家の開高健《かいこうたけし》の発案でアメリカの有力紙『ニューヨーク・タイムズ』への反戦の全面広告を掲載し、六七年四月には画家の岡本太郎《おかもとたろう》が描いた「殺すな」の文字の下に英文のメッセージをデザインした反戦広告を『ワシントン・ポスト』に掲載した。この「殺すな」と描いた文字は今も東京・青山の岡本太郎記念館で見ることができる。べ平連はまた、在日米軍兵士に向けて反戦ビラを配った。

「ベトナムの政治は、そこに住んでいる人びとにまかせるべきです。どんな政府をベトナム人民が選ぶにせよ、アメリカ人には干渉する権利はありません。……関心をもたれたアメリカ兵の方がたが、べ平連の事務所を訪ねて来られるなら、大歓迎です」

当時の日本政府は、アメリカのベトナム介入政策を支持することを鮮明にし、六七年一〇月八日、佐藤栄作《さとうえいさく》首相は南ベトナムに向かい、それを阻止しようとした学生が阻止線を張った警察と衝突した。羽田事件と呼ばれるこの衝突で、京大生の山崎博昭《やまざきひろあき》が犠牲となった。山崎博昭はキャルと同じ六八年生まれで、一九歳だった。

3 「イントレピッド4」

一九六七年一〇月、横須賀に停泊中のアメリカの航空母艦「イントレピッド」から四人の兵隊が脱走し、大きな話題になった。

四人の米兵はベ平連の人たちにかくまわれ、当時、横浜から出航していた観光船「バイカル号」に乗って、ソ連のナホトカに上陸。その後、モスクワで記者会見を開いた。ベ平連も、彼らが日本を出たことがはっきりした時点で、記者会見し、四人の脱走米兵の映像を公開した。この映像は一〇月末、池袋駅に近い鶴見良行《つるみよしゆき》のマンションで撮影された。元NHKのディレクターで作家の小中陽太郎《こなかようたろう》によると、日活で映画の仕事をしていた久保圭之介《くぼけいのすけ》が撮影スタッフと一緒に機材を運び込み、小中の合図で撮影した。

横浜へは小中が運んだ。小中は蓼科にあった作家の堀田善衛《ほったよしえ》の家から自分の車、オペルで四人の米兵を乗せて運転した。笛吹峠でガソリンがなくなり、ギアをニュートラルにして、ガソリンを使わないように運転したと言う。

なお、空母「イントレピッド」は、その後、現役を引退し、ニューヨークで博物館として公開されている。ハドソン川に巨大な船体を浮かべた「イントレピッド海・空・宇宙博物館」に

ハドソン川に浮かぶ空母「イントレピッド」

は、太平洋戦争、朝鮮戦争、ベトナム戦争、それぞれの歴史と資料が展示され、見学者が多い。ベトナム戦争の展示の中に、脱走兵に関するものがあった。四人の水兵が脱走した日の航海日誌が開かれていて、次のような説明書きがある。

「一九六七年一〇月二三日、日本で四人のイントレピッド乗組員が船から降りた。彼らは平和運動の組織に支援され、その援助でソ連に逃れた。当日の航海日誌には、とくに変わったことは書かれていない。『イントレピッド4』の脱走は、ベトナム戦争におけるアメリカ海軍での最初の抗議として知られている」

このイントレピッドからの脱走を契機に、ベ平連関係者の手で、米兵脱走を支援する「JATEC（ジャテック）」が組織された。ベ平連代表の小田実や、事務局長の吉川勇一《よしかわゆういち》、福富節男《ふくとみせつお》、小中陽太郎らが関わった。「JATEC」は「Japan Technical Committee for Assistance to U.S. Anti-War Deserters」の頭文字をとったもので、日本語では「反戦脱走米兵援助日本技術委員会」とされる。ジャテックは、二年間に一七名の脱走米兵をスウェーデンなどに脱走させることになる。

4　ベトナム戦争とメディア

この頃、日本のメディアはベトナム戦争をどのように伝えていたのだろうか。

一九六五年一月、毎日新聞は大森実《おおもりみのる》を中心にして「泥と炎のインドシナ」の連載を始めた。一月四日の連載第一回は写真と地図が入り、第一面の四分の三を使ったもので、力が入っている。作家、開高健は週刊朝日に「ベトナム戦記」を書いた。カメラマン岡村昭彦《おかむらあきひこ》の『南ヴェトナム戦争従軍記』も出て、ぼくは友人とこの本について語り合った。

ベ平連が誕生した六五年四月のすぐあとの五月九日、NTVは「ノンフィクション劇場」で「南ベトナム海兵大隊戦記」第一部を放送した。ディレクターは牛島純一《うしじまじゅんいち》である。放送の翌日の一〇日、橋本登美三郎《はしもととみさぶろう》官房長官はＮＴＶ社長・清水与七郎《しみずよしちろう》に電話をかけ、「あんな残酷なものを放送するなんて、ひどいじゃないか」と抗議したそうだ。解放戦線のメンバーとみなされた一七歳の少年が射殺され、首が持ち運ばれれるシーンが衝撃的だった。放送に当たって、日本テレビは「これらのシーンは正視しがたいが、ベトナム戦争の実態を知ってもらうために、あえて放送する」ことを確認していたといわれるが、結果として、再放送は中止になり、第二部、第三部の放送も中止になった。

戦争自体が残酷なものなのに、残酷なものを放送してはならないとしたら、戦争の実態を放送することはできなくなってしまう。その頃、職場の先輩がベトナムに派遣される話が持ち上がったこともあり、戦争報道のあり方を考えて同僚と議論したことを覚えている。

同じ六五年の八月一四日には「戦争と平和を考えるティーチ・イン」が行なわれた。徹夜で討論し、東京12チャンネルで放送されたこの番組は「朝まで生テレビ」の原型とも言えるものだ。朝まで中継する予定だったこの討論会が途中で急に放送中止になったのも不思議なできごとだった。

この後の八月二四日、朝日新聞の世論調査によると、北爆反対は七五％、賛成四％という数字が出ている。日本人の戦争に対する抵抗感は強かった。

六七年五月には、朝日新聞で本多勝一《ほんだかついち》記者と藤木高嶺《ふじきたかね》カメラマンのコンビによるルポ「戦場の村」が始まり、大きな反響があった。

六七年一〇月一三日、TBSは「ニュースコープ」の看板キャスター田英夫《でんひでお》をハノイに派遣し「ハノイ―田英夫の証言」を放送した。一一月七日、TBSの今道潤三《いまみちじゅんぞう》社長が自民党広報委員会に呼ばれた。橋本登美三郎、田中角栄《たなかかくえい》らの面々だ。今道は抵抗したというが、結局、田は五年六ヶ月担当した「ニュースコープ」のキャスターを降板させられることになった。

六八年一月は、世界中でベトナム戦争が注目を浴びることになった。「テト攻勢」である。ベトナムの旧正月であるテトに、北ベトナムと解放戦線は、南ベトナム政府や米軍に攻撃をかけた。なかでも、二〇人の特別攻撃隊によるアメリカ大使館への突入は衝撃的だった。彼らは六時間にわたって大使館を占拠し、その攻防はテレビで世界に発信された。「ベトナム戦争は勝利しつつある」というアメリカ政府のいつもの言葉を、アメリカ市民は信じられなくなってきた。

六八年二月、沖縄の嘉手納基地に米空軍B―52爆撃機部隊が配備される。沖縄とベトナムの距離は二千キロ。以後、嘉手納は北爆の拠点になる。

ベトナムから届く戦場の映像の力は強かった。六八年二月一日、ベトコン（南ベトナム解放民族戦線）の容疑者が、南ベトナム軍の将軍に路上でこめかみを撃たれて処刑されるシーンは衝撃的だった。撮影したエディ・アダムズはこの写真でピュリッツァー賞を受賞している。

遠いところに思われていたベトナムでの戦争が、だんだん身近に感じられるようになってきた。日本は補給物資を調達し、米軍からの「ベトナム特需」は輸出総額の一割を超えた。日本の経済成長は目覚ましくなってきたが、戦争に協力しての成長に、いやな感じがつきまとっていた。

この年、一九六八年、アメリカがベトナムに派遣した軍人は五〇万人に達する。

年表１

1964年８月	ベトナムのトンキン湾で、米艦が魚雷攻撃を受けたと発表（のちにフェイクと判明）。米議会、圧倒的多数で、大統領に戦争の権限を与える。
1965年２月	ジョンソン米大統領、北ベトナムへの大規模な爆撃を命令。
４月	小田実らの呼びかけで「ベトナムに平和を！」のデモ。1500名が参加。「ベトナムに平和を！市民文化団体連合」（略称－ベ平連）が発足、のちに「ベトナムに平和を！市民連合」に変更。
５月	ＮＴＶが『南ベトナム海兵大隊戦記』第一部を放送。
５月	京都で「ベトナムに平和を！京都集会」300名、「京都ベ平連」発足。
６月	キャル、17歳の誕生日に米海軍に入隊。
12月	ベトナムに派遣された米軍、18万5000人に。
1966年２月	総評臨時大会、米軍の北ベトナム爆撃に抗議のストライキを決定。
10月	総評など、労組連合体としては世界初のベトナム反戦スト。（翌年から10・21国際反戦デーとなる）
12月	ベトナムの米軍兵力38万9000人に。
1967年４月	韓国系の米陸軍一等兵、金鎮洙（ケネス・Ｃ・グリッグス）が脱走し、キューバ大使館に保護を求める。
10月	佐藤栄作首相の南ベトナム訪問に反対する羽田デモで京大生、山崎博昭死亡。
10月	米空母「イントレピッド」号から４人の水兵が脱走し、ベ平連に保護、援助を求める。
11月	「イントレピッド」の４水兵、日本脱出。
12月	「イントレピッド」の４水兵、ソ連からスウェーデンへ入国。
12月	在ベトナム米兵力は47万5000人になる。

第二章　我が家に来た脱走兵

1　母の秘密メモ

イントレピッドの脱走兵が新聞で騒がれた頃、ぼくは「へえー、こんなことがあるんだ」と感心したくらいで、まさか自分が脱走兵に関わるとは思っていなかった。

一九六八年二月、職場の先輩が相談を持ちかけてきた。「アメリカの脱走兵を預かってくれないか」というのである。信頼していた先輩だった。一切秘密で、誰にも言ってはならない。京都市南部の伏見区竹田にある実家の母、小山さよ（当時四七歳）にわけを話して、母の家に泊めることにした。三泊という約束である。

この頃の竹田は純農村と言っていい。今でこそ地下鉄のターミナルになり、人も増えたが、当時は人通りも少なく、田んぼの中に集落があるような状態だった。

そして三月二日、脱走兵がやってきた。

メモも残さずに四〇数年前の日付を覚えていることはできない。実はメモがあった。母は九九年に亡くなったが、小さな手帖を残していて、調べてみると、六八年三月二日の欄に「ヒミツ」と書いてある。そしてその前日にはカーテンを買い、掃除をし、京都の錦市場などで買物をしたことが記されている。メモには予定表と日記の両欄があり、重なっているが、以下、書き写す。

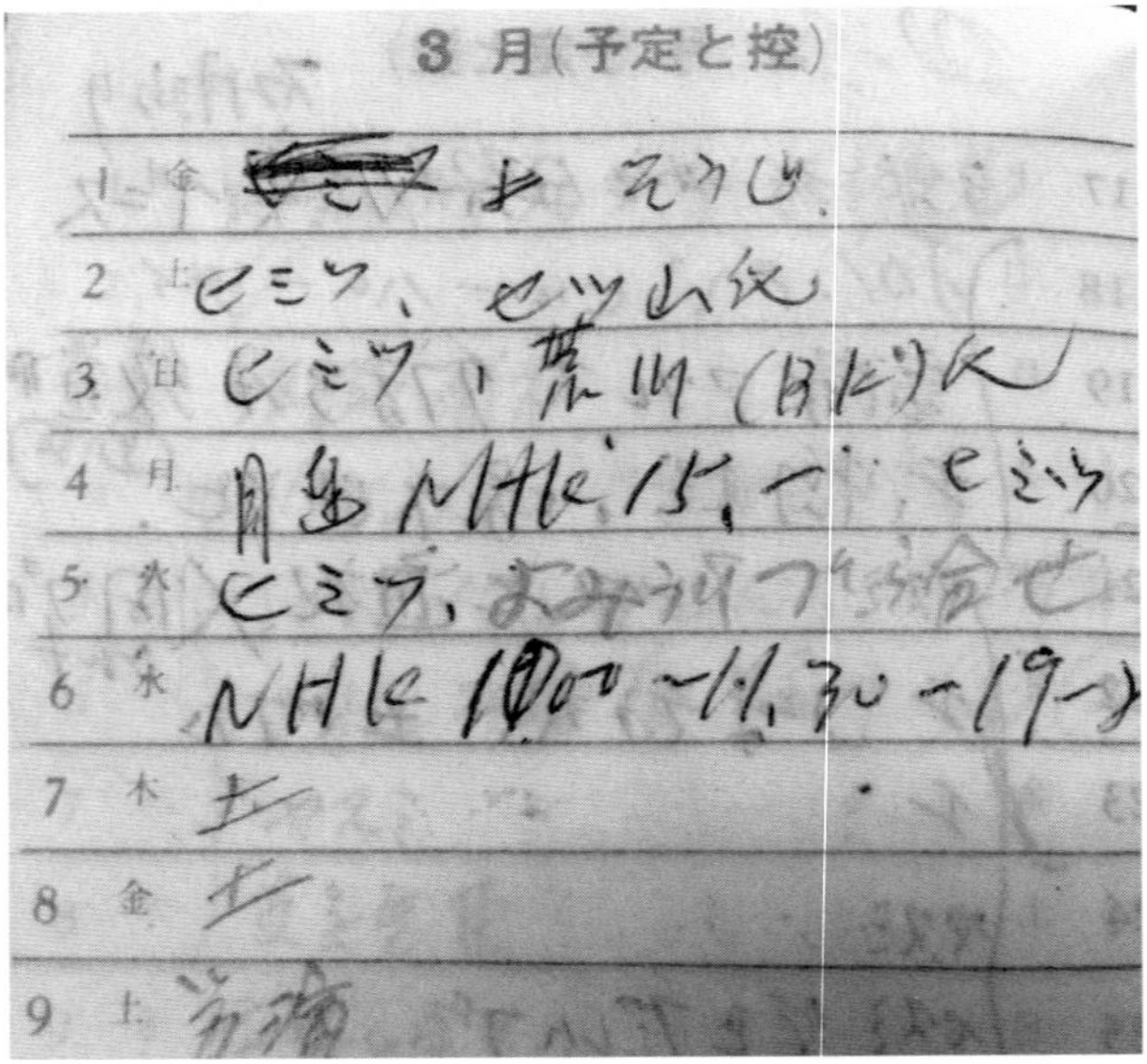
著者の母、さよのメモ

（予定表）
三月一日（金）帥人、そうじ、カーテン
　　二日（土）ヒミツ、かいもの、一〇、
　　　〇三五、厚生会、大丸、に
　　　しき市場、六：三〇来、セ
　　　ツ山氏、
　　三日（日）ヒミツ、荒川氏、
　　四日（月）ヒミツ
　　五日（火）ヒミツ

（日記）
三月一日（仕事）ヤスム
　　二日　そうじ、かいもの多忙、ウス
　　　ラ、ヤスミ来る

三日　ヤスミ夜来る、ひる荒川氏来る、風呂、スキヤキ、彼、兄に文かく
四日　S氏ひる来る、ヤスミ、ルスバン、帥人ハヤビケ
五日　彼、出発

メモの文中、厚生会は錦市場近くのスーパー・マーケット、大丸はデパートである。セツ山氏とは、やはり脱走兵を預かっていた経済学者の瀬地山《せちやま》敏《さとし》である。瀬地山はキャルを連れてわが家に来た。荒川はぼくと同期でNHKディレクターだった荒川雄彦《あらかわかつひこ》である。ぼくが仕事で家にいない二日目の午後、荒川はキャルとつきあった。

「キャルと半日一緒にいて、貧弱な会話力で何を話題にしたらよいか随分と困ったわけですが、たまたま前年（六七年）来日したジョーン・バエズのコンサートを難波の体育館に見に行ったこともあり、フォークソングのことを話題にしました。ピート・シーガーやボブ・ディランなど日本で知られていたアメリカのフォーク歌手の名前なども総動員して話をしました」（荒川雄彦）

ジョーン・バエズの「ドンナ・ドンナ」、フォークの父といわれたピート・シーガーの「花

すき焼きを食べるキャル（右）と母さよ（左）

はどこに行った」、ボブ・ディランの「風に吹かれて」など、いずれも反戦歌として当時世界中で歌われた。

そのほか、メモにあるウスラ、ヤスミは、ぼくの小、中学校の同級生の愛称である。彼、とはキャルのことで、横須賀で心配している兄のジョンに手紙を書いたのだろう。S氏は本名が記されていたが、本人の希望で、イニシアルにしておく。

メモのうち、一〇、〇三五という数字は買い物で使った金額（円）だと思われる。当時のぼくの月給は四万円くらいだったから、かなりの出費である。ヒミツと書かれた脱走兵のキャルは、夕方の六時半に来たことがわかる。

キャルの日本語は「ちょっと待ってね」、「すみません」くらいである。意思が通じにくかったが、苦労してコミュニケートしているうちに、だんだん打ち解けてきて、二日目の夜、彼の承諾を得て、すき焼きを食べるシーンの撮影を始めた。

その映像をみると、キャルはすき焼きを食べ、フォークで肉を突き刺している。母が箸でしらたきをすくいとり、キャルの小鉢に入れている。うしろには石油ストーブがたかれていて、ネコがそばにいる。食事が終わって、キャルは横になり、ネコにマイクを向けて語りかける。

「ミャーオ。カメラが回っているよ。君は俳優だぞ。マイクもあるぞ、さあ、なにか言えよ」

そのうち、アルコールが入ったようで、キャルは鉢巻きをして、なにかやるぞというジェスチャーをし、中国語と称して、インチキ言葉を話す。当時人気のあったコメディアンのジェリー・ルイスのように、両目を寄せてタバコを二本くわえたり、包装紙のままお菓子を食べようとして、がっかりするギャグを演じる。

シェークスピアのせりふの朗読をしていたキャルに対して、演劇に関心があると見たぼくの母は、お芝居をしようと提案した。母は戦前から大阪や京都で新劇の女優をしていた。彼女はベトナムの農婦となり、米兵であるキャルに「殺された息子を返せ！」と抗議する演技をした。キャルの胸ぐらをつかまえて激しく揺する母に対して、キャルはとまどった様子で、なんとか母を静止するだけだった。このお芝居は映像に残っている。

母はほとんど英語ができなかったが、ジェスチャーを交え、キャルとは親密にコミュニケーションをとっていた。そのせいか、キャルは母に一編の詩を送った。
「女優」という詩だった。

ネコと遊ぶキャル

"The Actress"

She walks onto the stage,
A woman full of wisdom.
One that can tell of her sorrow,
Yet she can be happy.
She has seen the world,
She has experienced it all;
Hate, love, lust, passion, compassion,
And she is still beautiful and still good in her heart.
A miracle, yet a dream.
Does she really exist, or is this part of her act?

女優

舞台を歩く
知性に満ちた女性
悲しみを語ることができる
幸せになることができる
彼女は世界を見た
すべてを経験した
憎しみ　愛　欲望　情熱　共感
そして今も美しく　心は清い
ひとつの奇跡　いや夢か
彼女は本当に存在するのか
それともこれは彼女の演技のひとつなのか　（著者訳）

母はこの詩に至極、満悦の様子だった。

一六ミリの映像には、このほか、キャルが碁盤に白黒の石をシンメトリーに並べて模様を作っている様子や、持参してきたエキスパンダーという運動器具を使って身体を鍛えているところ、それに我が家の風呂に入るシーンがある。服を脱ぎ、腰にタオルを巻いて廊下を歩き、風呂場に入る。当時、うちの風呂は家の外にあり、脱衣場もなかった。湯船が小さくて、足を折りたたんで入浴する様子がユーモラスだ。キャルは日本の風呂は驚くほど熱いが、入るとリラックスできると話していた。

入浴中のキャル

ちなみにキャルが家に来た三月二日の朝日新聞の一面は、南ベトナムのフォクロン省都を解放戦線が完全に制圧したというハノイ放送を伝えている。また、国際面では、米上院外交委員会の秘密調査は、六四年のトンキン湾事件について「『この事件でジョンソン政府は議会を誤らせた』との結論に達したといわれる」との記事を掲載している。

2　キャルの脱走声明

脱走の理由を聞くと、キャルはマイクに向かって次のように話した。

「犯罪行為が行なわれているからだ。脱走という極端な行動をとったのは、アメリカの軍隊が、私の愛する国、アメリカを傷つけているからだ。これがベトナム戦争に抗議するぼくのただ一つの可能な行動なのだ。このことによって人々はぼくの抵抗精神に気づく。もしぼくが軍隊の中でベトナム戦争反対を叫んだら、ぼくは牢に閉じ込められ、人々の目から隠されるだろう。だからぼくは軍隊を脱走し、自分の気持ちをみんなに知らせることに決めた。これが最善の方法だ」

彼なりにアメリカを愛する気持ちを表現している。軍隊内で抵抗運動を組織することができればいいが、事実上、難しかったろう。ベ平連はその後、国外脱出よりも軍隊内の反戦運動に運動の課題を変えていく。

キャルは当時のアメリカ大統領、ジョンソンに批判的だった。

「ジョンソン大統領は平和を願っているといったが、それはうそ以外の何でもない。ぼくに聞きたいことがあれば、なんでも質問してください」

声明を読みあげるキャル

ぼくと母と友人たちは、「家族のことは聞かない方がいいね」などと話し、その時点では、キャルの個人的なことは聞かないことにした。反戦フォーク歌手として有名はジョーン・バエズについてどう思うか、尋ねた。

「彼女はとても勇敢な人だと思う。彼女は信念を持って立ち向かった人。とても尊敬している」とキャル。

キャルは座って、自分が作った声明を読み出した。

「私は、フィリップ・アンドリュー・キャリコートです。

一九四八年六月一四日に、アメリカのオハイオ州マンスフィールドで生まれました。私の家庭は幸せなものでした。学校は中学で辞めましたが、英語、哲学、考古学、文学などを自分で勉強しました。

一九六五年六月二二日にアメリカ海軍に入隊しました。最初の一年半は内地勤務で、沿岸防衛にあたりました。一九六六年一二月八日にアメリカ軍艦リーブス号の乗組員になりました。私がベトナムを初めて見たのは、一九六七年一月でした。

私がアメリカ海軍から脱走を決意した理由は、ベトナムに限らず、命令によって私がとばされたあらゆる場所で、憎悪と残虐行為と人命の破壊を図るジョンソンの政策を強いられるからです。私はもはや、罪のない人々が、殺すことだけを目的とした戦いの中で死んでいくのを、見ていられなくなりました。私は、ジョンソンが第三次世界大戦を引き起こそうとしていると、固く信じています。

私は、自らのとった行為によって引き起こされるであろう結末を、すべて承知しています。私は、卑怯者、売国奴、共産主義者、大バカ者として、あるいはもっと多くの名で言われることでしょう。そんなことはどうでもいいことです。

私は現在、身近にある問題解決のためにできうる、唯一のことをしたまでなのです。私のとった極端な行為が、そして以前に多くの仲間がとった同じ行為に励まされて、残された仲間が、我々と同じことをすることを願っています。

仲間の兵隊諸君よ、聞いてもらいたい。自由世界を敵にまわす結果になるこの戦争に反対して、今こそ戦わなければならない。この声明文は、私、フィリップ・キャリコートによって、自らの意志に従って書かれたものです。私は、平和運動団体に協力を求めた以外は、一切、だれからも助言を得ませんでした」（著者訳）

この声明は、ベ平連を通じて発表された文書にも記載されているものだ。のちのキャルによるアメリカ当局への供述によると、「声明を書くことを要請されたが、最初は断り、あとになって書く気になった」と言っている。

声明を聞いたぼくは、キャルについて、信念を持ってベトナム反戦運動に乗り出した青年なんだなと思った。

3　我が家での討論

どうしたらベトナム戦争を終わらせることができるのだろう。キャルを囲んで、友人のウスラ、ヤスミ、それにぼくの母も加わって我が家で討論になった。母、さよがアメリカでの反戦運動について、自分の意見を述べた録音と映像が残っている。

「ちょっと聞いて。アメリカの母親に伝えてほしい。わたしたちは息子も友達もいて、幸せだけど、アメリカの母親はそうではないわけでしょ。そのことをどう思ってるか。母親が嘆いているだけではないか。だから今、アメリカのお母さんが立ち上がらないといけないということを言いたい」

この頃、アメリカではベトナム戦争に反対する母親の会が作られ、反戦運動が広がりつつあった。日本でも六六年の一〇月二一日に日本労働組合総評議会（総評）によるベトナム反戦ストが行われ、一〇月二一日は国際反戦デーとして、街頭での行動も大規模になってきた。

キャルは母に答えた。

「少なくとも一万人のアメリカ人がベトナム戦争で殺された。実際はもっと多い人数だろう。これは犯罪に近い。それはアメリカ人に対してだけでなく、全世界の人に対しての犯罪と言えるだろう。また南ベトナムの人は、自分たちの政府を守るというよりも、金のために殺されたようなものだ。アメリカ兵の母親たちは一部のことを知っているだけで、実際に何が起きているのかという真実は知らない。ベトナムに介入する理由として、アメリカ政府は共産主義を広げないようにするためと言っているが、そうなら、なぜキューバと闘わないのか。南ベトナムは四万キロも離れたところにあるのに。もっと近いキューバじゃなくて、なぜベトナムで闘うのか。この戦争はアメリカの憲法だけじゃなくて、世界中の憲法に違反している犯罪だ。ジュネーブ協定に違反している。大量虐殺に関わっている。キャピタリストの体制はもはや民主主義ではない。独裁政治でしかない。金が権力だ。お金を持っている人が政府を動かすことになっている。ジョンソンの後ろ盾をしている人がよりお金をもっていたので、そこに権力が生まれた。彼らが実質的に政府を動かしていた。ジョンソンは操られているに過ぎない」

「ベトナムにいるアメリカ兵は何人くらいか」とぼくたちは尋ねた。

「おそらく、今日、一七万人の米兵士がベトナムにいる。うち、南ベトナムには一四万人の兵が残り、あと三万人がトンキン湾などの船やタイにいる。

今や、アメリカの憲法は、トイレットペーパーほどの価値しか持ってない。一九六四年、数隻の北ベトナムの魚雷艇がアメリカの船を攻撃した。それは自国を防衛しようとしただけだ。アメリカの軍艦が北ベトナム領域に来たからだ。アメリカは二隻の航空母艦、四隻の巡洋艦、三隻のミサイル船、一〇隻の駆逐艦、さらに数えきれない補給艦を送った。南ベトナム解放民族戦線は勇敢な闘いを続けている。

かつてアメリカは植民地からの解放をめざしてイギリスの抑圧と闘った。アメリカの抵抗は絶対的な勇気に支えられていた。ベトナム人は同じことをしている。彼らの頑固さは、絶対的な勇気だ。アメリカはベトナム人の勇敢さをファナティシズム（狂信）という。ベトナム人の抵抗の持続は、自由世界の人々の支援によっているものとぼくは理解するようになった。

広島や長崎の爆撃は愚かな戦争の結果とぼくには思える。アイヒマンなどがユダヤ人に対して犯したような戦争犯罪が行なわれている。

最後に言いたいのは、人々の怖れや憎しみ、偏見のあとに人々は戦争ではなく、平和と共感を求めるだろう。人々は動物の聖域を作るのに、何故、人間の聖域を作れないのだろうか」（キャル）

アメリカのベトナムでの行動を、広島・長崎と同じ戦争犯罪だと主張するキャルの言葉は一九歳とは思えない確信に満ちたものだ。と、ぼくには思えた。キャルは米軍の核兵器についても語った。

「ぼくが心配しているのは、中国軍が短時間で行動できる状態にいたことだ。ホー・チ・ミンが『助けに来てくれ』と要請したら、彼らは来るだろう。彼らは数では勝っているが、アメリカ軍は優れた武器を持っている。核兵器だ。ぼくは核兵器のある場所を知っている。アメリカ軍がこのままでは敗北すると確信した時点で、核兵器を使用することをぼくは怖れている。最悪のシナリオだが、核がそこにあるのだから使うということだ」(キャル)

「アメリカ軍は核兵器を船に積んでいたのか」とぼくたちは尋ねた。

「それは『はい』とも、『いいえ』とも答えることはできない。それは守秘義務になっているし、ぼくが話したことがわかって、CIAか何かに殺されたくないからね。でもひとつ言えることは、ぼくはミサイルを積んだ戦艦にいたということだ。これが君たちの質問に答えていることではないかな」(キャル)

やや思わせぶりな彼の言葉は、今となっては、信用できない点もあるが、当時、この話を聞いたときには、かなり踏み込んだ発言をするのだな、とぼくたちは彼を評価した。「想像にまかせるというより、積極的な発言だな」と友人がささやく日本語の録音が残っている。

「君が将来においても戦争反対の立場を守ると信じている。ところで、アメリカでの反戦運動の可能性はどうだろうか？」

キャルは答える。

「アメリカでは大きな反戦の動きがある。しかし共産主義的や労働組合などの組織が中心で、一般の人びとは信用していない。アメリカ政府はどんな時も常に正しいことをしてきたと、人々はまだ信じている。今回のベトナム戦争に関しても、共産主義を弾圧しようとしているのは正しいと思っている」

「反戦運動を広める一番いい方法は何だろうか？」とぼくたちは聞く。

「一番低いレベルから始めていかなければならない。なぜなら、私たちは戦争を止めようとしている少数派だからだ。民主主義も最初は少数派から始まったのだから。しかし、民主主義はもう存在していないのではないだろうか。民主主義が存在すべきなのだが、アメリカでは純粋な資本主義が力を持っている。お金が政府を動かしていて、人々が政府を動かしているわけではない。なぜならアメリカは恐慌に近づいている状態だから。一九三九年や四〇年、経済状況があまりよくなくて、仕事をつくるために軍隊に入れるようなことをしていた。現在もまた恐慌が起きる可能性があり、それを防ぐためにアメリカはどこかで戦争を引き起こそうとしている。ベトナムが最も適している場所ではないかということだ。だから、答えはこういうことだと思う。一万人のアメリカ軍や、数え切れないぐらいのベトナムの人たちは、お金のために犠牲になっている。人の命はお金に代えられないほどの価値があるのに」（キャル）

キャルの説明は、公式的なところもあるが、ベトナム民衆の抵抗をアメリカの独立戦争のなぞらえる説明には共感した。

キャルが語る戦場体験は厳しいものだった。ベトナムの地図を描きながら、キャルが説明するシーンがぼくの撮った映像に記録されて

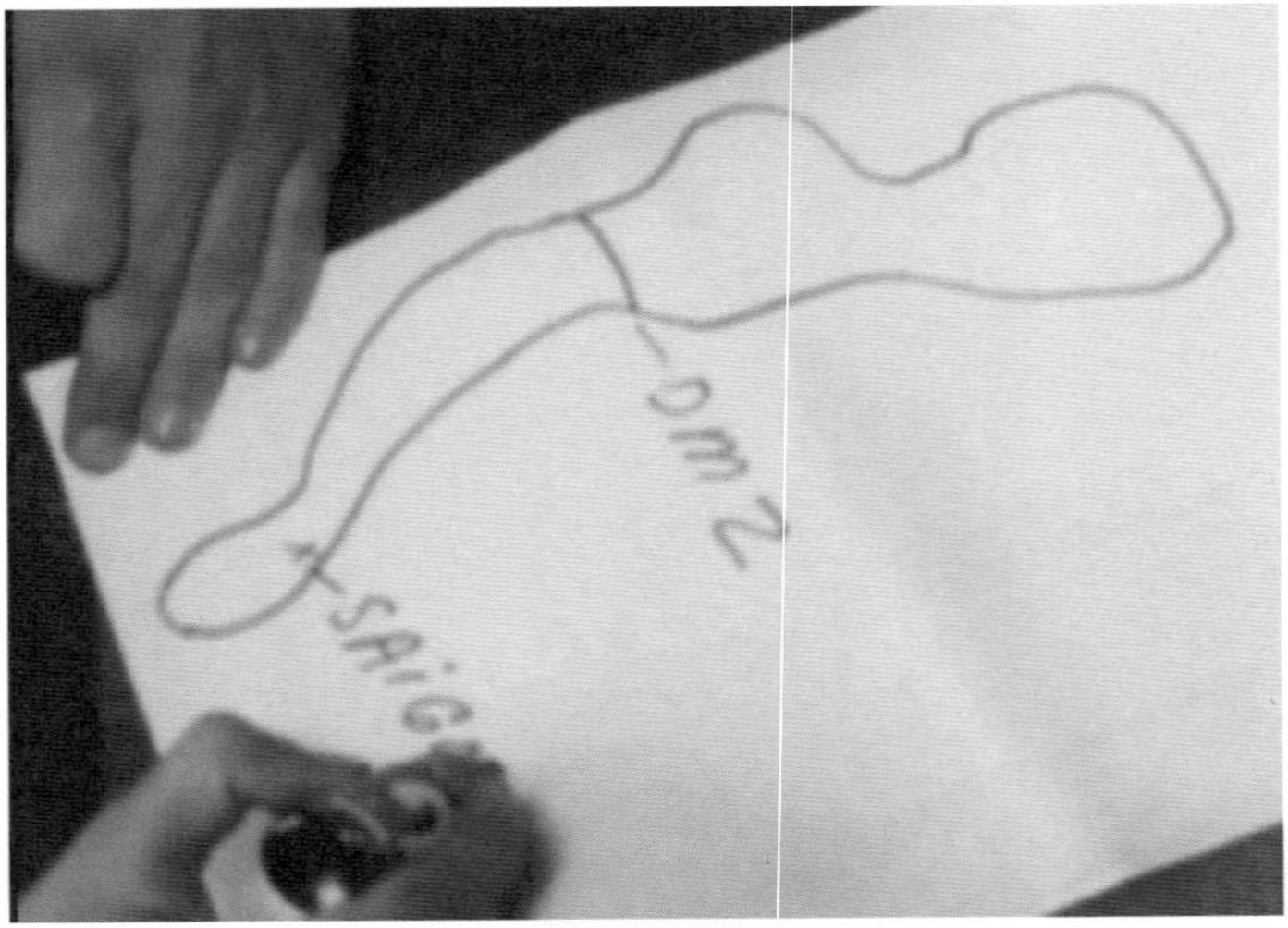

キャルはベトナムの地図を描いて説明した

いる。

「（マジックペンで地図を書きながら）ここが非軍事地帯だ。ここらあたりがサイゴンだ。これはとても小さな島だ。一九六七年五月、ぼくらの船はこのあたりにいた。島から三〇キロほどのところだった。砲台があるハネイ島から大砲の砲撃を受けた。ニアミスだ。銃を消音モードにして闘ったが、船で右にいた仲間は首を撃たれて死に、左側の仲間は腕を撃たれた。ぼくが無事でいられたのは幸運だった。一時間半のうちに起きた。これはいくつか起きた戦闘のひとつにすぎない」（キャル）

「ニアミス」というのは変な表現だが、具体的な戦場体験の説明で「殺したくない、殺されたくない」というキャルの気持ちがわかる気がした。

4　家族への想い

脱走するにはかなりの決意がいるだろう。日本の旧陸軍刑法では、逃亡の罪として、「敵前なるときは死刑、無期、もしくは五年以上の懲役又は禁固に処す」としている。本人のみならず、その罪は家族や親戚まで及ぶはずだ。

今の自衛隊法では、敵前逃亡は七年以下の懲役または禁固になっているが、一三年、自民党の石破茂《いしばしげる》（幹事長─当時）は、出動命令に従わない場合、「その国における最高刑に死刑がある国なら死刑、無期懲役なら無期懲役」にして軍の規律を維持すべきだと主張している。（「週刊ＢＳ─ＴＢＳ報道部」二〇一三年四月二一日放映）

キャルに家族のことを尋ねるのはまずいかな、思いながらも、次のような質問をしてみた。

「家族のことを心配しているようだが、君のことを案じている家族についてはどう思うのか」

キャルはためらいながら、次のように答えた。

「家族はぼくの米海軍からの脱走をまだ知らないと思うが、知ったらショックだろうし、がっかりすると思う。彼らはぼくを呼び戻し、いろいろ尋ねるだろう。彼らがぼくをどう思うかについて、話すことは難しい。このことを考えると憂鬱になる。ぼくも帰りたい。でも、それではぼくの目的は失われる。だからぼくは、家族から完全に離れて、自分が決めた立場を維持しなければならない。人々はぼくの行為を知るだろう。世界がぼくの行為を知るだろう。家族はショックを受け、おおいに失望するだろう。ぼくにはつらいことだが」

家族のことを聞かれるのはやはりつらかったのだろう。母のメモによると、キャルは兄に手紙を書いていた。家族の絆は強いようだった。

一方でキャルは尊敬する人物として、コメディアンのチャールズ・チャップリンをあげた。

「チャップリンについて、偉大な喜劇役者だとか、天才だとか、言われているね。彼は世界中の人に愛され、アメリカ人からも愛された。人々は彼が大好きだった。でも、彼はアメリカの敵だと言われた。ぼくは彼の自叙伝を読んで感動した。何故なら、彼は偉大だからだ。俳優としてだけでなく、哲学者として、平和主義者として。彼は人が互いに滅ぼしあうことを憎んだ。彼はコミュニストと言われたが、それは彼がアメリカの立場を支持しなかったからだ。アメリカでは国の政策を批判するものは、アメリカの敵と言われるのだ。彼は戦争に反対だった。だからアメリカは彼に圧力をかけた。彼はアメリカが嫌になり、アメリカを離れ、スイスに逃れた。でも僕は、チャップリンを世界で一番素晴らしい人だと思っている」

キャルは、日本での生活の間、チャップリンの本を持ち歩いていた。アメリカで名声を得ながら、国外追放処分を受けたチャップリンに強く共感しているようだった。

キャルも交え、みんなで一緒に歌を歌おうということになった。ジョーン・バエズが歌った「勝利を我らに（ウイ・シャル・オーヴァーカム）」は一緒に歌えた。

ほかに英語で歌える歌が思い当たらず、あまり関係ないように思ったが、中学校で習ったフォスターの「オールド・ブラック・ジョー」を歌った。日本語の歌は、前年の暮れに発売され、テレビやラジオでよく流されたザ・フォーク・クルセダーズの「帰って来たヨッパライ」を歌った。「おらは死んじまっただ」という日本語の意味は、キャルにはわからなかっただろうが、リズムは気に入ったようだった。

5　こっそり京都の繁華街へ

三月四日、我が家に来て三日目、最後の日にキャルは外出したいと言い張った。ずっと家の中に閉じ込められて、気持ちも鬱屈していたのだろう。といっても、外へ出るのは危険だった。当時の竹田には観光客もほとんどおらず、外国人の姿は目立つから思いとどまるよう説得した。

キャルは「Bonnie and Clyde」という映画を見たいという。アーサー・ペン監督、フェイ・ダナウエイとウォーレン・ベイティが主演し、前年にアメリカで製作され、六八年二月に日本でも封切られて話題になった映画「俺たちに明日はない」だ。主人公が銀行強盗をしながら逃亡する映画である。キャルは逃亡中の我が身を、映画の主人公のイメージと重ねたのだろうか。

映画館に行くのは目立ち過ぎるので、同級生のヤスミが兄さんの車を借りて運転し、夜遅く、京都の繁華街にキャルを連れて行くことにした。

車の中では、背を低めて隠れるように注意した。警察らしい車両が近づくとひやりとしたが、スリルを楽しむといった気持ちもあったように思う。祇園の八坂神社の近くに車を停め、四条通りを歩いた。キャルにネクタイをさせ、サングラスをかけさせ、ビジネスマンふうに変装した気分で歩いた。

小さなスナックに入り、飲んだ。キャルは少しリラックスしたようだった。二人連れの若い女性がいて、キャルは彼女に紹介してくれと言う。まずいなと思って、ためらっていると、キャルは紙切れに詩を書き出した。キャルはその英語の詩を若い女性に

四条通りを歩くキャル（向こう側）と友人のヤスミ（手前）

渡して欲しい、そして自分をカナダの詩人だと紹介してくれと言う。やむなく、女性にその詩を渡したが、英語はわからないようで、相手にされなかった。無視されてよかった。キャルはその後、深酒をし、吐いた。ヤスミは酔っぱらったキャルを介抱していた。

わが家にキャルと一緒に泊まったヤスミは、翌朝、出勤する際に、これが最後と思い、別れのあいさつをしようとした。会話に自信がなかったヤスミは「君のこれからの人生に幸多かれと祈る」と英文で書いて渡した。キャルは、その文を見て、文法の誤りを直してくれた。

これからしばらく経った後のことだが、ジャテックは脱走兵を預かるにあたっての「注意書き」を作り、預かる人に対して、長期間預かる場合には「ある程度のリクレーションを考慮してください」と注意している。

「たとえば映画につれていったり、付近の名所観光地を案内したり等。警戒のためといって長期間、家の中においたままにしておくことは、精神的不安定、動揺のもととなります」(ジャテック注意書き)

キャルを京都の街に外出させた僕たちの「冒険」も、脱走兵の精神安定上、意味があったようだ。

このとき撮影した映像も残っている。夜、キャルがサングラスをかけて祇園の八坂神社の階段を降りるシーンや、四条通りを歩くシーンがある。「祇園石段下」というバス停の看板が映っているが、先日、同じ場所に行ってみたら、看板はもうなかった。地下のスナックに入り、グラスを傾けるキャルの姿は寂しそうに見える。このシーンだけキャルの顔のアップが傾いて捉えられている。

6　かくまった人たちは沈黙を守った

わが家に三泊したキャルは一九六八年三月五日、迎えにきた乗用車に乗って、家を出た。ぼくは次の宿泊先である大阪・高槻市のSの家に同行し、そこで子どもと遊ぶ様子などを撮影した。その後、キャルがSの家を出て、車に乗り込もうとするところでフィルムは終わっている。それがキャルを見た最後だった。

それから二か月経った五月の初め、キャルらアメリカ人脱走兵六人がモスクワで記者会見したというニュースが流れた。会見した脱走兵たちは、その後、中立国であるスウェーデンの首都ストックホルムに向かったと伝えられた。

そのニュースを知って、「うまくいったんだな、よかった」と安心した。このことは誰にも言わないとの約束だから、頼まれた先輩と会っても、その話はしなかった。

ぼくの次にキャルを預かったSは、依頼された上司に会った時に、一言「ありがとう」と言われただけだったが、キャルのことだなとわかったと、最近、ぼくに語ってくれた。

キャルを預かった人たちは、みんなで何人になるだろう。二か月余り、十数カ所を転々としたはずだ。一〇〇人近くになるかも知れない。脱走兵に関わった全部の人数は一〇〇〇人を下るまい。みんな暗黙のうちにことを運び、今では、誰が協力したのかもわからない。ジャテックのメンバーだった関谷滋《せきやしげる》は「いま記録を残しておかないと、おそらく、まとまったものは当局にだけあることになる」と思い、一三〇人を越える人びとに会い、『となりに脱走兵がいた時代』という本にまとめた。

人に会っても、「全部忘れろ」と言われた、今になって「何でもいいから思いだせ」って無茶だよ、という言葉に象徴されるように、長い空白のあとの記憶を甦らせることは難しい。関谷は京都のグループの実態を把握し、大阪グループのことを調べようとして大阪の関係者と話したが、「一切言わない約束ではなかったですか」とか「もういいですよ」との返事で、結局、大阪のネットワークの実態は、ほとんどわからないままだった。

大阪のグループは、みんな律儀に沈黙を守った。もっとも話したところで、なんの得になるわけでもないし、かえってまずいこともあるかも知れない。なにしろ、世界最大の実力機関、アメリカ軍に挑戦したことになってしまったのだから。

そういえば、その後、ぼくの周辺にもなにやら怪しい影がちらつくようになった。親友の沖縄行きのビザがおりなかったり、上司が警察に呼ばれて行き来しだした。情報が警察にも入ったな、という実感があった。そんなことより、米兵が戦場に行かなくてもすみ、早くベトナム戦争が終わることが大事だと思っていた。

ところが、平和なスウェーデンで自由を謳歌しているはずのキャルは、その後、しばらくして、アメリカに戻っていた。そしてキャルの供述により、米軍は脱走兵をかくまった関西の動きをかなり把握していたのだ。

第三章　脱走期間のキャルの行動

1　ベ平連との連絡

日本で反戦の堅い決意を語っていたキャルは、スウェーデンに移って三か月ほどたった八月頃、父親に説得されてアメリカに帰ったという噂が伝わってきた。

事実、米軍の尋問に対して、キャルは日本での行動についてくわしく語っていた。その文書がある。

一九七五年九月二五日付でアメリカ上院法務委員会に提出された文書、『国内治安条例と他の国内治安法の執行状態の調査小委員会聴聞会（米海軍）』に脱走兵のことが書かれているのだ。この文書はベ平連の資料をそろえている立教大学の共生社会研究センターにコピーがある。

文書によると公聴会の冒頭、ストロム・サーモンド上院議員は「アメリカ軍内部で破壊活動やサボタージュが明らかに増えている」として、それは、「ソ連にシンパシーを持つ組織や個人のほか、アメリカ政府を暴力的に転覆しようとするマルクス主義団体によるものだ」と発言している。公聴会はその実態を明らかにするためのもので、キャリコートと、もう一人、キャルたちの二ヵ月後に根室から出国し、モスクワのアメリカ大使館に駆け込んだランディ・コーツのケースが述べられている。

上院の文書は、驚くほどくわしいもので、脱走兵の供述については、その通り書いたもののようだ。しかし、「べ平連は日本共産党と関係を持っている」とするなど、事実と違う点は多い。この文書に添うかたちで、取材も含めながら、キャルの行動を追ってみることにする。

「フィリップ・A・キャリコートは一九六八年二月九日、二五日間の艦上勤務を終えて、自由を与えられた。『シンデレラ』の自由は二月一〇日〇時三〇分までだった。彼は横須賀の女友達、ヤマモト・ユリに会いたかった。彼は不幸であり、落ち込んでいた。艦上で軍務についての態度が悪いと叱られたのだ。彼は上官に嫌われていると思っていた。彼ははじめ横須賀で週末を過ごそうと思い、金曜（九日）の夜はユリと過ごすことに決めた。彼は翌日も横須賀のいくつかのバーでユリと飲み、営倉入りを怖れ、艦に帰るのが嫌になった。翌一一日もキャリコートはひどく飲み続け、乗組員仲間から『上官が探しているぞ』と忠告を受けた」（上院文書＝訳は著者、以下同）

なお、この報告書の註によると、このユリという女性は、一九四七年二月生まれで、六七年一一月にキャリコートと知り合った。彼女によるとキャリコートは飲み助で、飲んだ後に暴力的になることがあるということだ。キャリコートは結婚するならアメリカ人の女性とは結婚したくない、外国に住みたいと言っていたそうだ。

「キャリコートは二月九日、外出時に一五〇ドル持っていたが、日曜日（一一日）には二〇ドルしかなく、その二〇ドルも船に帰る仲間に渡した。仲間は彼に帰艦を促したが、彼は断った。そして一七時頃、東京に向かった。この時、彼は最終的にリーブス号には戻らないと心に決めた。東京に行ったのは、大きな都市にいる方が、パトロールや警察が捜索しにくいと思ったからだ。この時点では、彼は脱走を勧める日本人については知らなかったといっている。脱走の動機としては、アメリカのベトナム政策への不同意ではないと言明している」

「キャリコートは東京でヒルトンホテルに一泊し、値段が高いので翌日からは安いホテルを探した。彼は数日間、東京で遊びほうけた。モダンジャズの店で何日か夜を過ごした。深夜営業だったからだ。

二月一六日の金曜日、バーで男が近づいて来た。男はヨシカワ・ユウイチと名乗った。ヨシカワは名刺を見せ、べ平連の事務局長だと明かした。話し合う中で、ヨシカワはキャリコートに次のような質問をした。

『君はアメリカ人か？』

『君は軍人か？』

『君は脱走兵か？』

キャリコートが「そうだ」と答えると、ヨシカワは大変友好的になり、同じような状況にいて悩んでいる多くの友人を知っていると言い、彼を助け、日本を出て中立国に逃がせることができると言った。キャリコートはヨシカワの申し出に同意した」（上院文書）

この供述は怪しい。のちになってキャルは、吉川に会う前に東京のソ連大使館に行ったことを認めている。大使館でベ平連の事務所の電話番号を教えてもらったようだ。キャルは、米海軍には、偶然に吉川に出会ったように話したのではないか。脱走の動機について、アメリカのベトナム政策が理由ではないと供述しているのも、少しでも罪を軽くするために、つい出来心で脱走したと強調しているようにも読める。

関谷滋編の『となりに脱走兵がいた時代』では次のように書かれている。


「キャリコートがやってきた二月一五日に東京では一七年ぶりという大雪が降った。翌日まで続いて二三センチメートルの積雪を記録している。新宿のマンションにいるという電話を受けた吉川勇一が、何というマンションか聞き返したら、『マンション』という名の喫茶店だと答えてきた。飯田橋から小石川の室謙二《むろけんじ》のアパートへ、吉川は膝まで積もった雪をかき分けながら、キャリコートを送り届けた」

状況の描写も具体的で、ベ平連の記録の方が信用できる。ベ平連ではキャリコートを「春日」と日本名で呼ぶことにしたと書かれている。

この頃、ベ平連はすでに四人の脱走兵をかくまっていた。キャルに続いて、三月にはホイットモアという黒人の海兵隊員も預かることになり、脱走兵の数は六人になった。

キャルは大阪に送られることになった。

2　キャル、大阪に移動

アメリカの上院文書に戻る。

「そこでヨシカワはバーから直接ヨシカワの友人の大学教授の家に連れて行った。この家で夕食を済ませたあと、ほかの日本人が来てムロと名乗った。それから一行は東京のムロの家に行き、そこでキャリコートは夜を過ごした。

次の日の午後遅く（一九六八年二月一七日）、ムロの息子で、明治大学の学生であるムロケンジに付き添われてキャリコートは大阪へ行く列車に乗った。大阪駅で日本人学生のグループ

に会った。ひとりはワダと名乗った。ワダは中年の男で神戸の核兵器廃絶委員会の議長で、べ平連と関係がある」（上院文書）

ムロケンジは当時大学生で現評論家の室謙二《むろけんじ》である。ワダというのは、大阪軍縮協で長く事務局次長を務めて来た和田長久《わだながひさ》と思われる。軍縮協は社会党系の反戦反核組織である。和田は三二年生まれで、このときは三六歳だった。二〇一五年一月、大阪・豊中の和田の自宅を訪れ、確かめたが、「昔は記録なしに全部頭に入っていたが、最近は忘れてしまって、誰を預かったのか、わからない」ということだった。

名前は忘れたというが、和田はかなりの脱走兵を預かっていて、大阪での援助運動の中心的役割を担っていた。

和田は次のように語った。

「横須賀の原潜反対闘争に行ったときに、武藤一羊《むとういちよう》から『和田君、脱走兵が出てきた。引き受けられないか』と言われて『いいよ』と答えた。一週間もしないうちに、もう来てしまった。桃山学院大学の勝部元《かつべはじめ》に『引き受けてくれないか』と頼んだが、『いや、ぼくのところは困る』と断られた。若い妻がいたのだ。しかも一切外に漏らさないように言っておいたのに、学生の前で『いよいよ我々のところにも脱走兵が来た』と言うので、困った。進歩的文化人のいいかげんさや。本川誠二《ほんかわせいじ》（故人、『グラムシ選集』翻訳）はよくやってくれた。彼が桃山学院大学の教授になったときやったかな。代久二の筆名だった。彼とその妹の二人が、自分（和田）が手を引いたあとも、最後まで脱走兵の面倒をみていた。神戸大学の小島輝正《こじまてるまさ》教授（一九二〇年生まれ、故人、ルイ・アラゴンの小説「レ・コミュニスト」の翻訳者）も協力してくれた。

梅毒の話もあった。日本では客にまず風呂に入ることを勧めるが、ある数学者の家で母親が米兵の後で風呂に入ったが、「おふくろに梅毒の検査をしろ」とは言えないとこぼしていた。近くの岡町に泊めた時にパニックを起こして夜中に起こされたこともあった。行くと脱走兵の腕に斑点が出ていて、なだめるのに苦労した。翌日、十三病院に連れて行って診断してもらったが、性病かどうか、わからなかった」

前述した、脱走兵を預かる上でのジャテックの「注意書き」は、「衛生上の問題」として次のように指摘している。

「ベトナム帰りの米兵には、時に、性病に感染しているものがいます。受け入れる場合、まず最初に麻薬常習者かどうかの検査、性病の血液検査などをＪＡＴＥＣでやりますが、しかし、たとえば梅毒の場合、感染後六週間は潜伏しており、血液検査にも反応は現れません。したがって日本に来る直前に感染したとすれば、われわれの保護下に入った瞬間では検査しても判らないわけです。そこで一応、念のためにつぎの点に注意して下さい。

（イ）性病の症状が現れてきていないか、時々注意して下さい。本人にたしかめてもかまいません。

（ロ）梅毒の第一期症状が現れるのは感染後三〜四週間で、それまでは他への感染の危険はあまり多くありませんが、入浴後はそのお湯を使用しない。風呂桶や風呂場の洗浄、本人の使用した洗面具、食器等の洗浄、枕カバー、シーツ、タオル、下着等の消毒、クリーニング等に留意して下さい」

ぼくが脱走兵に性病の可能性があることを知るのは後のことで、キャルを預かった時点ではそんなことは聞かなかったし、想像もしなかった。

和田が話しているこの脱走兵を預かっていたのは、当時、国民文化会議の事務局員をしていた芝村篤樹《しばむらあつき》である。国民文化会議は総評系の文化機関で、大阪総評が運営していたＰＬＰ会館にあり、軍縮協にいた和田とは、机を並べて仕事をする仲だった。芝村はまだ新婚だったが、和田に頼まれて、脱走兵四人を自宅に泊めた。

芝村はこう語る。

「わたしも一九六八年の晩秋に、当時豊中市岡町の二間と台所・トイレの自宅に友人とともに、四人の脱走兵を匿ったことがあります。当時、わたしは職業的な活動家であったので、脱走兵を助けることに何のためらいもなく、ごく自然なこととして参加したという感じでしょうかね。ところが、深夜に彼らに起され何やら難しい単語を連発するので、友人と辞書を引き引き聞くと、『われわれは梅毒にかかっている。医者に連れて行ってくれ』とのこと。それで夜明け前に仲間のいる病院に連絡し、引継ぎました。一日も一緒にいなかったので、名前もその後の事もわかっていません。

結婚したばかりでしたが、妻は当時海外旅行社に勤めていて出張中でした。夫婦が使っていた布団を提供していたので、彼らの病気が自分に伝染し、そのことで妻があらぬ疑いをもたないかと一瞬おそれ、ビビッたということはありましたが。純情だったんですね。妻には事前に脱走兵のことは言っていなかったように思います」

実は、芝村の前の職場がぼくの勤務先にあった関係で、歳も同じということもあって、以前から仲のいい友人だった。芝村はその後、桃山学院大学教授として大阪の近代都市の研究に打ち込んだ。彼とは時折会って話すことがあったが、互いに脱走兵のことは一言も話したことがなく、互いに脱走兵を預かっていたことを知ったのは四七年後のことだった。

3　脱走兵を預かった大阪の人たち

和田は大阪で脱走兵を預かった中心的人物のひとりだが、橋本幸子《はしもとさちこ》も当初から関わっていた。橋本は勤労者の演劇鑑賞団体である「大阪労演」の事務局員として働いていた。橋本は語る。

「北爆が始まった頃、ベトナム反戦を訴えて、夜通しデモをしました。その参加者で『ベトナム反戦大阪行動委員会』を作りました。三井物産の柴谷正博《しばたにまさひろ》などがメンバーでした。柴谷はアパレル関係を扱っていたことから、米兵用の超大サイズの靴などを確保してくれました。労演の近藤計三《こんどうけいぞう》さんは『ベトナム案内詩集』を作って、わたしはそれを売りました。よく売れましたよ。わたしが働いていた労演の人はベ平連関係のビラなどのコピーや印刷をするのを、黙認してくれました。

ベトナムについての集会をやろうということになって、開高健さんに依頼したが、断られました。そこで、小田実を呼んで、法円坂で集会をしました。鶴見俊輔さんの秘書が来てくれました。中之島公会堂で高校生べ平連の集会があったときには、市岡高校のべ平連が大人びた口調で演説していました。中川五郎《なかがわごろう》などが梅田の地下街でフォーク集会を開いたりもしていました。

脱走兵を預かることになったが、英語ができる人という制約があって、難しかったです。わたしが預かった米兵は、熱海で休暇をとっているうちに帰るべき船が出てしまったと言ってました。知り合いの男をだまくらかして車を使ったこともあります。相手にデートと思わせて、会ったら「このアメリカ人を運んで」と言ったら、驚いていたが、『しゃあないなあ』と運んでくれました。

日本舞踊の人が滋賀県に別荘を持っていて、そこへ運んだんだけれど、日本人とベトナム人が似ているので、米兵はいつ狙われるかとびくびくしていました。英語が通じないし、お互いに神経が参って、途中で引き取りに行くはめになりました。外大の先生のところで預かってもらったら、やっと英語が通じて、彼もよくしゃべりました。ベトナムの戦場では、嫌いな上官を銃で撃つと言ってた。部下に撃たれないように上官はうしろを歩くそうです。

アメリカ兵に日本の国籍をとらせたら、戦争に行かなくてもいいかなと思い、小田実に『わたしが米兵と結婚したら、日本国籍とれるか』と聞いたら、彼は『ああ、とれる』と言いました。ところが、調べたら、当時は女性がアメリカ国籍になるだけで、アメリカ人は日本国籍を取れないシステムやったんです」（橋本幸子）

和田長久はスパイを預かる羽目になった経過を語る

「スパイもいた。佐世保から脱走したという話だったが、最初からちょっとおかしかった。緊張感がないし『脱走兵ではないかも知れない』と言いながら、神戸大学の学生だった村上君に渡した。その米兵は発信機のような時計を持っていた。彼はのちに北海道で逃げた。十三駅で彼を引き渡すときに、ホームに電車が来ても乗らない人が二人いて、怪しかった。当時の十三駅は普段は人がいないところだったのに。吉川勇一に電話して、『スパイではないか』と言ったが、吉川は『たとえそうであっても、脱走したと言う限り、かくまう』と言った。吉川は『本当にしっかりした奴は軍隊の中で闘うよ』と言っていた。

預かった脱走兵は全部で四〜五人だ。電話があって『つけられているが、どうしたらいいか？』と相談されたので『関大へ行け』と言って、関大に迎えに行き、ぼくの家へ運んだこともある。ぼくの家は裏からも出られるので、便利だ。阪大の大学院で哲学をやっていた青年が運転してくれた。運転が下手で、車のギアの調子が悪くなったこともある」（和田長久）

和田の話に出てきたスパイというのは、ラッシュ・ジョンソンのことである。このジョンソンを預かった教育関係者、村上英緒《むらかみひでお》・満智子《まちこ》夫妻の家は豊中にあり、和田の家の近くだった。

村上英緒は故人だが、長く中学校の教師だった満智子は二〇一五年になって、次のように語った。

「ジョンソンを豊中の自宅にかくまったのは一週間ほどです。当時のアメリカ大統領と同じ名前だったから覚えています。夫がある日、『脱走兵を預かるぞ』と言い、まもなく自宅に連れて来ました。一九六七年に長男が生まれ、豊中の家に引っ越した後のことです。二階の部屋に泊め、作ったこともない洋食を作って食べさせました。ハンバーグとかムニエルとか。朝はパンを食べさせました。

家は当時、露地の奥にあって静かで、人通りもありませんでした。ジョンソンは鋭い目つきの男でしたが、緊張した様子ではなかったです。話もあまりしませんでした。脱走兵らしくなく、一人で散歩していました。散歩道を教えたこともあります。夫は定時制高校の英語の教師をしながら、神戸大学の学生でした。

その後、雑誌でジョンソンがスパイだったことを知り、ショックでした。悔しかったです。人に言うのも腹立たしく、その後、ずっと黙っていました。このことを語るのは今が初めてです」（村上満智子）

実際にスパイを預かった人にとっては、利用されただけという悔しさが残るのは当然である。脱走兵を預かる行為は、さまざまなリスクを当事者に課したのだ。

スパイについては、ジャテックの中でも議論があったようだ。中心メンバーの鶴見俊輔は次のように語っている。

「この運動に、迷惑をかけたこともあります。米国が送り込んで来たスパイを見逃したということです。その責任を追及するような運動だったら、私はリンチされて殺されていたかもわかりません」(『脱走の話―ベトナム戦争といま―』)

「スパイの彼だけが、帝国主義はなぜ起こるか、それにどうして自分は反対しなければならないか、それを理路整然と述べたんです。私はこの人を脱走兵として受け入れました。そのスクリーニング(ふるい分け)は京都であった。やがて北海道で、もう一人の本物の脱走兵を捕まえる手引きをして、彼は姿を消しました。スクリーニングをまちがったことの責任は私にあって、この運動に対して私がそれを負うています。この失敗は、脱走兵援助を思い出すたびにいつでも私のなかに兆します。つまり理論ですね。一人だけ理論を述べたときに、すぐに気づくべきだった。理論を持っていると、あぶない。日本だったら、大学出は、だいたいあぶないね」(同)

4　キャル、京都や大阪にかくまわれる

上院に報告された米軍の文書によると、キャルは大阪を中心に行動しているようだ。

「大阪でワダと会ったキャリコートはワダの家に三～四泊し、その後、ワダの家の近くの学生の家に二～三泊した。ここでキャリコートはホンカワに会い、彼に連れられて大阪から京都の郊外へ行った。

そこでキャリコートはホンカワの妹のヨーコに会った。彼女はその家の持ち主のようだった。キャリコートはここで二～三泊した。ミスター・ホンカワは、イタリアの芸術や文学を専門とする日本人の大学教授である。キャリコートはホンカワに連れられて大阪にある彼の妹の家に行った。ヨーコ・ホンカワは三五歳くらいの英語の教師で、八〇歳の父親と住んでいた」（上院文書）

ホンカワは、和田長久が語る本川誠二《ほんかわせいじ》である。本川は一九二〇年生まれで、当時四七歳、桃山学院大学の助教授で、学生部長の要職にあった。ガルシア・ロルカの詩や戯曲を翻訳したほ

か、ヨーロッパ、とくにイタリアの政治状況を日本に伝えた人である。イタリア・マルクス主義のグラムシを日本に初めて紹介する『グラムシ選集』を翻訳した。

桃山学院大学名誉教授の藤澤道郎《ふじさわみちお》は「捨て身の人―本川誠二教授を偲ぶ」という文で、次のように書いている。

「本川さんの身の上には絶えず要職・激務が降り注いだ。他人のために働くばかりだったが、彼はその仕事にいつも情熱を込めて真剣に取り組んでいた。自分の利害とか好みとかをいつも後回しにする人だった。無私で無欲で目立ちたがらない人だった。そこまで自分を殺さなくてもいいじゃないか、と私は時々思った。『聖ホンカワのまねはできないよ』とか『利己主義という言葉があるが、本川さんのあれは、利他主義だねえ』と陰口を叩いていた。（中略）私は、献花による『お別れの会』の式場の花に包まれた壇上に、神を信じると否とを問わず、身を捨てても他人を救おうとした無数の殉教聖者の幻影を見た。その列の中にグラムシの顔があり、そして、本川さんの顔があった」（『桃山学院大学人文科学研究』（九〇・一・三〇））

本川は脱走兵のことを語らず、黙々と援助活動を続けた。藤澤道郎はそのことには触れていないが、脱走兵を救おうとした本川の意志を的確に指摘している。また評論家の安東仁兵衛《あんどうじんべえ》は、終戦後の東京大学共産党細胞の一員だった本川について、次のように書いている。

「ほとんどの同志がアルバイトをしながらの通学であり、細胞活動だった。チンドン屋の棹持ちで街を歩いたり（文学部の本川誠二……など、〝人知れぬ〟苦労はさまざまであった）（「戦後日本共産党私記」）

アメリカ上院文書（以下、上院文書）では、日時は書かれていないが、脱走してからすでに二週間ほど経った二月の二五日頃と思われるが、次のような記述がある。

「この頃、京都でミステリアスな男が現れ、ワダとともに自分たちの運動について説明した。キャリコートは彼のことを『X教授』と述べている。X教授は五五歳くらいの大学教授で、流暢なフランス語と英語を話した」（上院文書）

この教授は鶴見俊輔だと思われる。当時四五歳で、英語とドイツ語に堪能だった。べ平連に関わり、脱走兵についても、積極的に行動した。一五年に亡くなったが、テレビ番組「帰って来た黒人脱走米兵～べ平連・二五年目の再会～」で、脱走兵について、次のように語っている。

「よくやれたなあと思うし、あれは、わたしの生涯で、これひとつといえば、これひとつという運動ですね。だから自分の著作などを越えて、こちらの方が重大だと思ってますよ」

関谷の本では、六八年一一月一三日、鶴見の家で鶴見や関谷など数名で話したのが、京都ジャテックの初めての集まりで、「それまでは鶴見がひとりできりまわしていた」とされている。

上院文書はその後のキャルの行動を次のように記している。

「X教授と会ったあと、キャリコートは京都のいくつかの家に回された。親が京都のさる呉服商という学生の家が、ホンカワの家の向かいにあり、そこに二～三泊した。その後、医者の家に行き、そこからX教授につき添われて京都の大きなスポーツスタジアム(西京極のことか―著者)に近いヨーロッパ人夫妻の家に行った。夫はデンマーク人で、妻はイギリス人と思われる。二人は共に三〇代前半のフリー・ジャーナリストで二人とも流暢に英語と仏語を話した。二人はキャリコートにベトナム戦争に対する声明を書くように勧めた。キャリコートは声明書を書くことは拒否したが、写真を撮ることは認めた。

そこへワダがまたやってきて、キャリコートを京都のヤマグチ教授の家に連れて行き、そこに一泊した。ヤマグチは京都の大学のドイツ関連の教授で、妻と二人の子どもがいる。住まいは山の麓で、山の頂上には大きな日本のシンボルの像があることで観光客を惹きつけている」

この山は五山の送り火のひとつ、「左大文字」がある京都市北区の大文字山（左大文字山ともいう）のことだろう。この山の麓に住むとされたこのヤマグチという教授はドイツの社会思想を専門とする甲南大学の山口和男《やまぐちかずお》である。京都市北区のわら天神の近くに住んでいた。『山口和男先生追悼集』には、左大文字山の頂上にいる山口と家族の写真が掲載されている。山口和男は、京都大学経済学部の出口勇蔵《でぐちゆうぞう》名誉教授の弟子で、マックス・ウエーバーの研究に業績を残している。二七年生まれで、この頃四一歳。鶴見俊輔は山口和男と親しく、鶴見から脱走兵を預かるよう相談されたと考えられる。

山口は、ぼくがキャルを預かった時に、リーダー的存在だった。直接会ったことはないが、メモをとらないことなどを電話で指示された。キャルを撮影して、そのことを告げたところ、山口はひどく怒って、撮影したぼくを非難した。一切記録を残さないようにして、米兵の安全とジャテックのネットワークを守ろうとしたことはわかるが、「テレビに出すつもりなのでしょう。だからジャーナリストは信用できない」と言われたのは心外だった。「あなたの許可がない限り、公開はしません」と答えた。そのことが、キャルの映像を長く公開しなかったことの原因のひとつになっている。
その後、山口を探して公開の許可を得ようとしたが、山口は八六年に亡くなっていた。五八歳という若さで死んだこともあって、『山口和男先生追悼集』が出版され、多くの人がその死を悼んでいる。

「山口君は繊細な神経の持ち主で、気くばりの行き届いた、一言でいえばヒューマンな人柄だったと思います。他方で正義感に富み、弱者や民衆の側にたちたいという志向もつよく持っていました」（河野健二《かわのけんじ》京都市立芸術大学学長）
「山口さんの本質を一言でいうと、〝ヒューマニスト〟であった、と今も思っている。そのことを言葉を代えて日本流に言うと「……弱きを助ける」式の人情味が、お人柄の基底にあると感じていた」（岡久男《おかひさお》・甲南大学名誉教授）

また、当時の学生たちも、授業中の山口の次のような言葉を覚えている
「君、ベトナムでは毎日毎日何人も死んでいるんですよ。君達はよく平気でいられるな」（白《しら》井彰一《いしょういち》・小大丸社長、六七年卒）

「（六八年当時）先生は教室ではあくまでもアカデミックで厳格なウエーバーリアンでしたが、学外では、ベトナム脱走米兵の支援活動、べ平連、デイゴの会などにご熱心で、先生にとっても大変な時代であったのではないかと思います。先生から声をかけられると『山口組』と称して、脱走兵の世話をしに行ったり、京大へ行ったり、そんな想い出ばかりが懐かしく思い返されます」（清水正博《しみずまさひろ》・茂久田商会、七一年卒）

上院文書に戻る。

「キャリコートはヤマグチ宅に一泊したあと、ワダに連れられて大阪に戻り、学生ハウスに行き、一週間ほどそこにいた。そこは日本人老夫婦が管理している学生のためのハウスのようだ。ここでキャリコートは大学教授と思われる男と会い、大阪の医者の家に行き、四日ほど過ごした。その後、また京都のヤマグチの家に二泊した。ヤマグチはキャリコートを数ブロック先の年配の婦人の家に連れて行き、一泊したあと、またヤマグチ宅に戻り一週間滞在した。このとき、ヤマグチ教授はキャリコートにベトナム戦争についての彼の見方を声明にするよう促した。キャリコートは何度か拒否したが、結局、同意した。魅力的な女性がキャリコートに用意された声明を手渡し、それをキャリコートが読むところをフィルムに撮った。その声明はアメリカのベトナム戦争への関与を非難するものだった。キャリコートは当時、失望していて、声明はその気分を反映している。

一週間ほど滞在する間に、キャリコートはヤマグチから『ベトナム－村々からの声』というタイトルの冊子を渡され、それにそって彼自身の声明書を作った。キャリコートはまた経歴書を書くように言われた。

次にキャリコートはスズキという青年に会った。この青年は学生のようで、歳は三〇歳くらい、父親が輸入業で成功し裕福で、神戸と大阪の両方に家を持っていた。スズキはキャリコートを大阪の医者の家に連れて行き、そこに一晩泊まった。この医者はチェコに関心を持ち、チェコ語を話すことができた。次にホンカワの友人の和歌山の家に二泊した。スズキがまた現れ、キャリコートに付き添い、スズキの神戸の家と大阪の家に泊まった」（上院文書）

5　我が家に来たことの記述

「ここ（スズキの家）で一週間ほど滞在したあと、キャリコートは京都のカメラマンの家に連れて行かれた」（上院文書）

このカメラマンというのは、ぼくのことである。妙なことに日数計算が合わない。わが家に来たのは三月二日である。しかしキャルが大阪に来た二月一七日から、上院文書では、少なくとも一二カ所に行き、三六日間が経過しているはずだが、実際には二週間ほどで我が家に来ている。おそらくキャルはメモも持たず、あいまいな記憶だけで供述したのだろう。ヤマグチ宅で声明を読むところをフィルムで撮影したと言っているが、それは、わが家でぼくがフィルムを回したのと記憶がごっちゃになっているものと思われる。

上院文書のカメラマンの話に戻る。

「このカメラマンは、特に特徴がない三〇歳くらいの日本人の男で、京都の山の中に家を持っていた。かれはＮＨＫという全国テレビ・ネットワークで働いていると思われる。キャリコートはここに二〜三日滞在した」（上院文書）

当時、ぼくは二五歳である。かなり年上に見られたものだ。家は山の中ではない。伏見・竹田の農村である。まわりに山はないのだが、家に閉じこもっていたため、山の中にいる雰囲気になったのかも知れない。キャルは確かにわが家に三泊した。ぼくは報道カメラマンだと自己紹介し、彼が声明書を読むところをフィルムと録音機で撮影、収録した。声明では、「この声明はキャリコートが自分で作成したものです」というクレジットを本人がつけ加えている。

その後の行動を文書は次のように記す。

「彼はそれから京都から離れた山にあるSの家に連れて行かれ、一週間ほど滞在した。Sは内気で、教育関係者と思われ、年齢は二〇代後半、妻と妹と二歳の娘がいた。ここでキャリコートはセツアマ教授に会う。キャリコートは京都の郊外のセチアマ教授の家に連れて行かれ、二～三泊した。セツアマ教授は京都の大学で経済学を教える教授である。彼の家はまだ建設中だった。彼の妻はNHKで働いていると思われる」（上院文書）

このSの家は、キャルが行く時にぼくも同行し、撮影しているから、よく覚えている。家族が名前を明かしたくない意向なので、Sとしておく。キャルの供述では一週間となっているが、Sによると三日ほど滞在したということだ。

「キャリコートとはあまり話はしなかった。自分は仕事があり、昼間は家にいなかったからだ。

記憶していることは、キャリコートが『俺の眼を見ろ。悲しい色があるだろう』と言ったことだ。眼を見ても、わからんかったけど、『ふんふん』と言った。悲しい経験があるということかな。もうひとつは、部屋に架けていた額を見て『あれはなんだ？』と言うから、聖書の言葉だと言うと『クリスチャンのホームなんだ』とほめてくれた。以来、誰にもキャリコートのことは話していない」（S）

この家で、一歳の娘にハンカチをかぶせて遊んでいるキャルの姿が、ぼくの撮ったフィルムに映っている。微笑ましい光景なのだが、Sの要望でこの部分は公開しないことにした。脱走兵の手記を読むと、子どもと遊ぶのが楽しいという記述がよくある。言葉の壁を越えて無心に遊べるからだろうか。Sの家のキャルが泊まった部屋は今は書庫になっているが、間取りは変わっていない。このSの家を出て、車に乗り込むところで、ぼくのフィルムは終わっている。閑散とした新興住宅地の映像が残っているが、今はまわりに家がぎっしりと詰まっている。

6　奈良での生活

キャルが次に向かったのは奈良県生駒である。キャルの供述による「セツアマ教授」とは、当時、甲南大学で教鞭をとり、のちに京都大学の経済学部長などを歴任する瀬地山敏《せちやまさとし》（一九三六年生まれ、当時三一歳）である。ぼくの母のメモでは「セツヤマ」と書かれた。瀬地山は京都大学経済学部の出口勇蔵名誉教授のゼミ生であり、同じく出口の弟子で、脱走兵を援助した山口和男と接点があった。なお、Ｓの家も瀬地山の家も当時は新築で、築五〇年の今も、キャルが滞在したときと変わっていない。

瀬地山にキャルの映像を見せて記憶を呼び覚ませてもらった。

「当時、甲南大学に就職したばかりの時で、甲南大学の山口和男先生に頼まれたと思います。キャリコートを三日ほど預かりました。近くの大和川の上流に子どもと一緒に魚釣りに行きました。キャリコートは「汚い川だな」と言っていました。長男（瀬地山角《せちやまかく》）は覚えているはずです。次の預かり先を探して、団地の隣人に相談したりしました。秘密がもれたら困るので難しかったです。秘密にしていると、忘れてしまいますね。小山君の映像を見て、以前の姿が彷彿として浮かんで来ました。

当時、話を聞いた時、『やらなければならない仕事だな』と思いました。ベトナム戦争はよくないし、脱走兵をどう助けるか、微力でもやらなければ、という気持ちでした。こうやって一人の人間をかくまうことは大変なことなのですね。

ふりかえってみると、人と人とのつながりが苦境を打破すると思います。ネットワークの大切さを感じます。歴史を作っていく交流を垣間見た気がします。これだけのネットワークがここまで考えたのは歴史になかったでしょうね。国を越えて人を助ける行為は大切です。それを最初にやったのがベ平連です。国境を越えることは、これからの世界を考える上で重要な視点になると思います」

瀬地山の子息の瀬地山角は六三年生まれで、当時四歳だったが、今は東大教授である。瀬地山角にキャルのことを話すと「生きていたのですか！」と声を高くした。「覚えていますか」と尋ねると、「覚えていますよ。子どもだったから言葉が通じなくてもコミュニケートできました。昼間も障子を閉めて、二階の父の部屋にいました。一緒に近くの池に魚釣りに行ったことを覚えています」という。

瀬地山角は、高校時代、両親が脱走兵をかくまう運動に関係していたことを誇りに思っていたということだ。なお、瀬地山角の母で、敏の妻の澪子《みおこ》はキャルの供述どおり、NHKのディレクターで、まだこれからというときに病気で亡くなった。ぼくに脱走兵を預かるよう依頼したのは、この瀬地山澪子である。何かの機会に瀬地山澪子が語った「表現の自由とは、権力を批判する自由のことなのよ」という言葉を覚えている。

7　少女の日記

上院文書には記録されていないが、キャルを預かったという人に会うことができた。大阪府の東部、大東市に住む元教師の市川純子《いちかわじゅんこ》とその娘で、教育関係団体職員の美穂子《みほこ》である。

純子は当時、中学校の社会科の教師で、キャルは受け入れたのは春休み最中だった。二九年生まれで、ぼくが会ったときは八六歳、足が不自由だが、上品な女性で、記憶もしっかりしている。自分史用のノートを作っているが、メモを残すなという指示があったため、ノートにはキャルを預かった頃の日記はないと記されている。

純子の夫は、外国人教育などの人権教育に熱心だった中学校教師の市川正一《いちかわしょういち》である。市川正一は当時四〇歳、航空士官学校の経験者で、たまたま以前に大阪の法円坂市営住宅で、瀬地山の隣に住んでいたことから、互いに親しくなり、子どもを預けたり、預かったりする仲になった、瀬地山が脱走兵について相談した団地の隣人というのは市川のことだった。

純子と夫の正一はともに「反戦教師の会」に入っていた。ベトナム反戦デモによく参加した記憶があるという。当時一〇歳の娘、美穂子も父に連れられて大阪駅の反戦デモに参加している。

市川夫妻はキャルが来る前年の六七年に、法円坂団地から大東市に引っ越してきた。当時は深野《ふかの》と言われる湿地帯で、川がよく氾濫し、生駒山の土を埋め立てて住宅地にしたところだった。市川夫妻が家を建てた時は、周りはほとんど田んぼだったが、今はぎっしり家が建て込んだ住宅地である。新築当時の写真をみると、生駒山がすっきりと見え、広い空間がある。このあたりは、まだ人がいないところなので、脱走兵が来ても目立たないし、それに学校の先生だから、外国人の知り合いがいても変ではないだろうということで、脱走兵の隠れ家になったのではないか、と純子はいう。

市川夫妻は二階の夫婦の寝室をキャルの部屋にすることにした。純子は、キャルに何を食べさせようかと悩んだ。アメリカ人は肉を食べると聞いていたが、トンカツくらいしか思いつかない。ナイフとフォークを二組、買いそろえた。春休みの最中だが、夫の正一は深夜にならないと帰らないので、純子と二人の娘、美穂子と佐知がキャルとつきあった。英語でのコミュニケーションが難しく、「外の道が泥だらけ」という、その「泥」がわからず、「マッド」と辞書を引きながら、話した。

「小学生の英語」という本が家にあり、例えば机の絵があって、それを見ながら、娘たちは「つくえ」、キャルは「デスク」と言い合って遊んだ。キャルと子どもたちはすっかり仲良しになり、腕にぶら下がって遊んでもらっていた。下の娘、佐知《さち》はまだ六歳で、夕ご飯を食べると、ころんと眠ってしまい、キャルが抱きかかえて、二階の寝室に運んでくれた。

上の娘の美穂子は当時一〇歳で、キャルのことをよく覚えている。美穂子は雑誌『少女フレンド』の付録の「おしゃれ手帖」という日記にキャルのことを次のように書いている。

「三月二三日　きのう、キャルさんという外人がきた。せんそうにいきたくないので、にげてきたのだ。

三月二六日　キャルさんがかえった。いままであそんでもらったのでさびしくてたまらない。でも、せんそうがおわったら、又来てくれると私は信じている。私はアメリカの大とうりょうがにくい。ベトナムせんそうよ、早くおわれ。キャルさんがかえった時、ピアノのれんしゅうをよくするんだよといって、いってしまった。

四月一日　ジョンソンだいとうりょうが北ベトナム、北ばく停止のニュースをきいた。もうすぐ戦争が終わるかもしれない。そうしたらキャルさんとあえる」

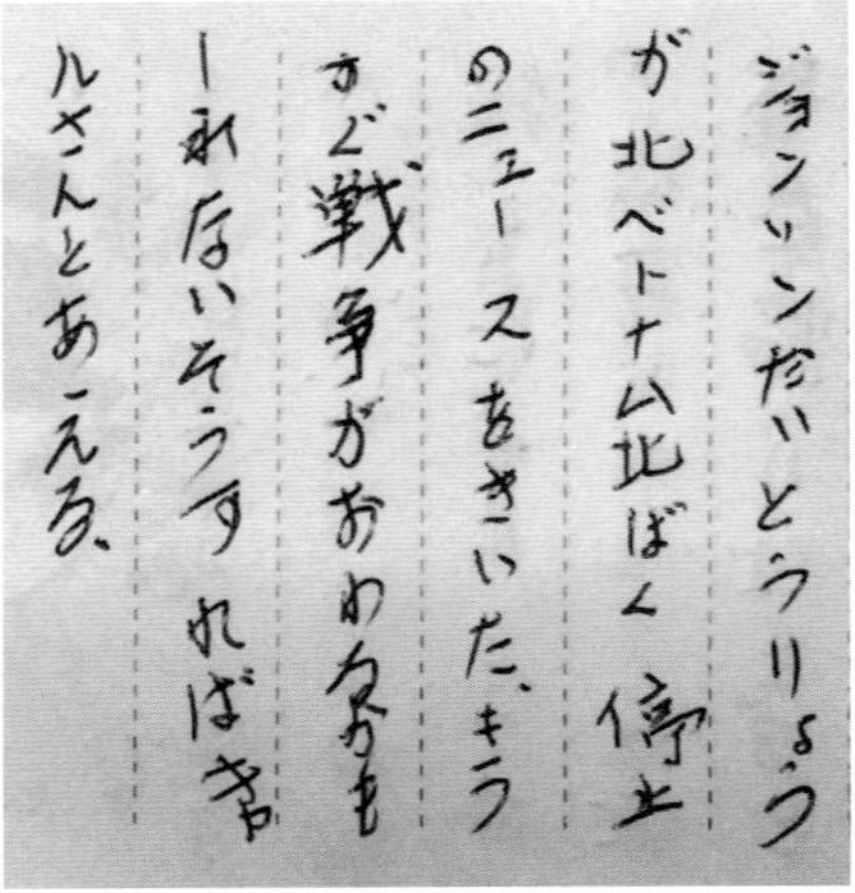
ジョンソンだいとうりょうが北ベトナム北ばく停止のニュースをきいた、もうすぐ戦争がおわるかもしれないそうすればきゃルさんとあえる、

キャルをかくまった市川家の娘美穂子の日記（1968.4.1）

美穂子の日記から、キャルは六八年三月二二日に大阪・大東市の市川宅に来たことがわかる。遊んでくれたお兄ちゃんと別れた寂しさが素直に綴られている。

美穂子は父から「ベトナム脱走兵のことは学校で言わないように」と言われていたという。一度、友達が家に遊びに来たことがあって、台所でキャルとでくわした。キャルは「コンニチハ」と話しかけ、平気そうだったが、友達は目を真ん丸にしてびっくりしていた。

妻の純子はキャルが子どもを二階に運んでくれたあと、階段に座ってふたりで話したことを覚えている。戦場で友達が撃たれて死んだ話、父親がアメリカ兵として沖縄戦に参加したことなどをキャルは話した。

市川宅に三泊して帰る日、父、正一は子どもたちに「グッドバイ」と言うな、「グッドラック」と言えと言った。美穂子は画用紙に自分の顔を書いた絵をキャルにあげた。覚えていて欲しいという気持ちだったのだろうか。その後、キャルはくるくるとまるめた美穂子の絵を持ち歩いていたという。

キャルは純子に英語で書いた手紙を渡した。そこには「妻のような、母のような」と書いてあった。特別なお礼状なのかなと思い、ノートに挟んで大事に残しておいたのだが、今は見当たらない。

純子に、脱走兵を預かることのリスクを考えたかと尋ねた。

「いえ、キャルさんを守らな、あかんという強い気持ちがあって、自分たちのことがどうなるかなどは考えませんでした、キャルさんは気軽な、明るい青年で、とても情を感じました。あとから考えると不思議だけど、わたしは英語があまり話せないのに、通じ合えました。なんでも話せました」（市川純子）

当時、キャルは一九歳、純子は三八歳、純子と子どもたちにとってキャルとの三日間は濃密な時間だった。キャルを「キャルさん」と呼ぶのは市川ファミリーだけだ。

キャルに市川一家のことを覚えているかと尋ねたが、残念ながら覚えていなかった。ただ、小さな可愛い女の子がいたことは覚えていると言う。

上院文書によると、このあたりで、警察の動きが伝えられる。

「ワダの息子が来て、警察がキャリコートを探していると告げた。警察の捜索から逃れるため、キャリコートは田舎にある『フレンズ・インターナショナル・ワークキャンプ』（ＦＩＷＣ）に連れて行かれ、ここに最大で二週間滞在した。この施設は老人やハンセン病関連の施設と思

われ、ホー・チ・ミン（ベトナムの指導者）に似た老人が管理し、多くの学生はここで働いていた」（上院文書）

『フレンズ・インターナショナル（国際）・ワークキャンプ』というのは、スイスのクエーカー教徒で、良心的兵役拒否者であったピエール・セレゾールの精神を受け継いだグループである。その流れで、ノーベル平和賞受賞団体である「アメリカ・フレンズ奉仕団」の中にできて、その後、独立した。いかなる政治・宗教団体とも一切関係ない日本の非営利組織である。

当時、「フレンズ国際ワークキャンプ」は、奈良の学園前にある大倭教《おおやまときょう》という神道系の宗教団体の敷地、大倭紫陽花邑《あじさいむら》に、ハンセン病回復者のための宿泊施設「交流《むすび》の家」を開設したばかりだった。

この施設は、鶴見俊輔が知り合いのハンセン病回復者が東京ＹＭＣＡで宿泊を拒否されたことを授業で語ったことがきっかけで、ＦＩＷＣ関西委員会の学生たちが、六三年九月に関西で作り始めたものだ。

学生たちに土地を貸した大倭教の創始者の矢追日聖《やおいにっしょう》は一九一一年生まれで、当時五七歳、長身痩躯、白い鬚をはやしていた。六五年から六七年まで、同志社大学学生として、ＦＩＷＣ委員長を務めた湯浅進《ゆあさすすむ》によると、キャルがホー・チ・ミンに似ていると供述しているのは、矢追日聖に間違いないという。

鶴見俊輔は次のように書いている。


「べ平連と脱走兵援助の運動が動いているときであり、その脱走兵の何人かを紫陽花邑にとめてもらったこともある。この動きの首謀者のひとりとして、私は、警察から眼をつけられていた」(『「むすびの家」物語』木村聖哉《きむらせいや》・鶴見俊輔)

ホームページを見ると、「フレンズ国際ワークキャンプ」の慣習法として、

「やりたい者がやる、やりたくない者はやらない。やりたい者はやりたくない者を強要しない。やりたくない者はやりたい者の足をひっぱらない」

「来る者を拒まず、去る者を追わず」

などと書かれていて、べ平連の運動原理と通じるところがあって興味深い。


キャルが泊ったこの「交流の家」に、四八年後の二〇一六年五月に行ってみた。

近鉄電車で学園前駅から南へバスで数分走ると、こんもりとした森があり、そこに紫陽花園という施設がある。敷地はかなり広く、入り口に柵はなく、だれでも入れるのだが、用件のな

い方お断りと書いた看板がある。うっそうとしている樹木の中に、病院や老人ホームなど建物が点在している。紫陽花園というだけあって、あちこちに青色の紫陽花が開き始めていた。ウグイスの声がする。

「交流の家」はコンクリートの二階建てで、壁のセメント塗りは大雑把だが、作りはしっかりしている。一階は玄関と廊下、風呂と便所、トイレの便器は洋風だった。食堂が広く、ここで会議や交流会が行われる。二階が宿泊室になっていて、四部屋あり、それぞれ数人が泊れるから、かなりの人数を収容できる施設だ。朝食、昼食、夕食のメニューが貼り出してあった。

キャルが泊った「交流の家」

この「交流の家」は、六一年に建設を始めるが、地元の反対があったりして、完成は六七年の秋、キャルが来たのは六八年の四月頃だから、完成して半年後のことだった。建設当時の写真を見ると、建物の前に細いヒマラヤ杉が映っているが、半世紀近く経て、今は大木に育っている。桜、泰山木、サルスベリなども植えられていた。当時は玄関の横に公衆電話が置いてあって、宿泊する人が使っていた。ここは人の出入りも少なく、隠れ家としては最適だ。キャルは三月の末から四月の中頃までここにいたようだが、紫陽花園でウグイスの声を聞いたのだろうか。

あとでキャルに尋ねると、この施設のことはぼんやり覚えていた。綺麗なところで、まるで庭園の中にいるようだったと。

当時、「交流の家」を作るために尽力した湯浅進は今も、NPO法人「交流の家」の代表を勤めている。湯浅はキャルとは会ったことがないが、鶴見の依頼で、別の脱走兵を預かることになり、当時プレハブ住宅の販売店に勤めていた関係で、六八年十一月にデニスという脱走兵を京都・山科駅前にあった住宅展示場のモデルハウスに泊めた。ピカピカの台所で関谷《せきや》滋《しげる》とふたりで、二日間預かり、インスタントラーメンを作って食べたことを覚えている。

数カ月後、後続の脱走兵三人もこの「交流の家」に宿泊している。ここでは、脱走兵たちは「鶴見先生のお客様」と呼ばれていた。

8　再び東京へ

上院文書によると、「交流の家」で二週間過ごしたキャルのところに、東京に行くべきときが来たという連絡が入り、キャルは大阪に二、三泊したあと大阪駅に向かう。

「駅でキャリコートは初めてほかのアメリカ人脱走兵に出会った。この兵隊はマーク・シャピロと名乗った。キャリコートとシャピロは、シャピロと一緒に来た日本人の男に付き添われて東京に向かった。この日本人は二人のアメリカ人脱走兵の間に座り、二人に話をしてはいけないと告げた」（上院文書）

この付き添い人は関谷滋である。当時、ジャテックの活動家だった関谷によると、東京から、国外脱出のメドがついたという連絡があり、四月二〇日に京都駅でもうひとりの脱走兵、マーク・アラン・シャピロ（一九四八年七月生まれ）とともにキャルと会い、新幹線で東京に連れて行った。上院文書では大阪駅だが、関谷は京都駅で、赤いカーネーションを目印にしてキャルと会ったと記憶している。カーネーションを持っている人はほかにいなかったため、すぐわかった。映画の一シーンを観るようである。

関谷は毎日放送のインタビューで次のように話している。

「久しぶりに心置きなく英語がしゃべれるっていうんで、二人でよくしゃべってましたけど」（そのときの気持ちは？）「やっぱり、まあ、早く時間が過ぎてくれればという思いはありました。よほどの事がない限り、捕まったりはしないという感覚は持ってましたけど、もし何かあったらやっぱり困るなあということで、あまりゆっくりはできなかった気はします。あまりキョロキョロ見回しても具合が悪いので、なるべく本を読んで、じっとしてたという感じですね」

東京に着いたキャルたちは、別の三人の脱走兵を加え、五人になった。山口文憲《やまぐちふみのり》と、英語に堪能な編集者の掛川恭子《かけがわやすこ》がつき添って、飛行機で釧路へ飛び、そこからレンタカーを借りて根室に向かった。このあたりの経過を、上院文書は次のように綴る。

「東京についた二人（キャリコートとシャピロ）は学生に案内されて東京の大学で教師をしているフランス人の家に行った。

そこで一泊したあと、エトーという男性が訪ねてきた。エトーは日本を離れる計画を説明し、ある〝社会主義国〟が二人の脱走兵を中立国へ運ぶ手助けをすると言った。

キャリコートとシャピロは東京国際空港に連れて行かれ、そこで三人の脱走兵、ジョセフ・L・クメッツ海兵隊伍長（二七）、エドウィン・C・アーネット陸軍四級特技兵（一九）、テリー・M・ホイットモア海兵隊一等兵（二一）に会った」（上院文書）

羽田空港で五人の脱走兵が落ち合うことになる。海兵隊員、クメッツは脱走し、捕まってはまた脱走を繰り返していた男だ。彼は脱走後、一年半にわたって日本人女性のアパートに潜み、外出しなかった。彼に付き添った阿奈井文彦《あないふみひこ》によると、クメッツは朝から酒瓶を抱えて、ほとんどアルコール中毒で、目もよく見えなかったという。阿奈井は文芸評論家の栗原幸夫《くりはらゆきお》の指示により、二月七日、三重県のヤマギシ会にクメッツを連れて行った。ヤマギシ会は鶴見俊輔の紹介だった。

　阿奈井（ノンフィクション作家）は「ベ平連と脱走米兵」という本で次のように書いている。


「十畳の部屋の隅に一升瓶が三本並んだ。

クメッツの酒量は減らなかった。毎晩五合のアルコールに溺れなければ寝つけないようだった。……夜、鎌倉の管制官・栗原幸夫氏へ連絡を入れた。

私の報告が終わると、栗原氏は『また荷物が二つ届いたよ』と告げた。

荷物？　一瞬判らなかったが、『脱走兵』の隠語だった。……（二月一二日にE・アーネット、一五日にP・キャリコートが、それぞれ休暇中に脱走、ベ平連に連絡している）」（『ベ平連と脱走米兵』）

　阿奈井によると、クメッツは一緒に長く住んでいた日本人女性と結婚し、日本でヤキトリ屋を開くのが夢だったが、あきらめ、スウェーデンに日本人女性を呼び寄せると言っていた。

脱走兵のひとりで黒人のホイットモアは、のちに『兄弟よ、俺はもう帰らない』という自伝的な小説を書いた。小説では、キャルはフィル・キャリコとして登場し、空港で出会う。

「フィル・キャリコがまずやってきた。海軍で一九歳だが、年よりも若く見えた。彼はまるで大佐か何かのようにふんぞりかえり肩をいからして歩いてきた。大胆な奴だ」(『兄弟よ、俺はもう帰らない』)

一行五人は、北海道に着くと、日本人から声をかけられた。

「『アメリカ人のみなさん、今日はお泊まりですか?』レストランの主人は、私たちをたんまり金を持っているいい鴨だと考えたようだ。『私どもは街の真中にナイトクラブを経営しておりまして、女も揃っております。お出かけになりませんか?』

キャリコとシャピーロ(註:キャルと京都から上京したシャピロのこと)―二人とも間抜けた男たちだ―が調子を合わせた。

『ヤー、必ず行くよ。そりゃどうもありがとう』

『だまってろ、馬鹿ども。目立たないようにしてるってのを忘れたのか』（『兄弟よ、俺はもう帰らない』）

ここは創作かも知れないが、それに近いことがあっても不自然ではない。

9　根室から漁船に乗って脱出

「五人の脱走兵はミセス・フジコワに付き添われて北海道に飛んだ。飛行機は給油のため、札幌に到着したが、だれも降りることは許されなかった。飛行機は飛行を続け、北海道の北にある小さな街、根室（実際は釧路―著者）の空港に到着した。午後遅く着いた一行はすぐ自動車に乗り込み、根室の郊外をドライブした。三～四時間走ったあと、根室周辺の、海に近いところに着いた。そこはあまり人がいないところで、数人の男が紙の作業や、無線の作業をしていた。そこにしばらくいたあと、脱走兵たちは『ロシアの船は今夜は動けない』と知らされた。

脱走兵たちは再び車に乗り込んで半時間ほど走り、海岸近くにある漁船の船長の家に行った。この船長は四五歳くらいで、頑健な体つきだったが、大酒飲みだった。この船は前にも脱走兵を運んだなとキャリコートは思った。船長がベ平連から報酬をもらっていたかどうかはわから

ない」（上院文書）

脱走兵を受け入れる側の根室での様子は、本田良一《ほんだりょういち》の『密漁の海で』で、次のように書かれている。

「一九六八年（昭和四三年）四月二一日夕、独立したレポ船主となったオホーツクの帝王・村井寛《むらいひろし》は、根室港の岸壁に立って荒れる海を眺めていた。そばに係留されているのは、持ち船のカニかご漁船『第三五金勢丸』（一〇五、九トン）だ。この日午後十時、釧路から金勢丸の『荷物』が到着する予定だった。『荷物』とはベトナム戦争に反対して脱走した米兵六人を指す符牒だ。ところが海はあいにくの大シケだった。

『このままでは出航できないな』

村井はそう判断すると、根室でこの脱走劇を指揮していた根室市議の富樫衛《とみがしまもる》＝根室市歯舞《はぼまい》＝に伝えた」（『密漁の海で』）

レポ船とは、ソ連に情報を送る連絡役を果たす船のことである。その代わりにソ連領海での漁業を黙認してもらう。村井はそのボス的存在だった。

根室の市会議員（革新系無所属）だった富樫は、戦前から漁村の生活改善運動をしていた人だ。歯舞漁協の専務をしていて、戦後続いた漁師の拿捕や抑留に対して船員の釈放や安全操業のために尽力してきた。脱走兵海外送りの中心人物のひとりである。この人がいなければキャルたちの国外逃亡は難しかったろう。

ジャテックを担っていた栗原幸夫は、脱走兵を国外に逃がす方法はないかと考え、総評国民運動局書記の大本泰之《おおもとやすゆき》に相談し、大本は北海道出身の社会党代議士、岡田利春《おかだとしはる》に相談した。その結果、三月、岡田が富樫市議に電話をかけてきたのだ。富樫は、ソ連と交渉できる船主で旧知の村井に協力を依頼した。

その経過を本田良一は次のように書いている。

「村井は電話で話を聞くと、初めは口が重かったが、熱心な富樫の説得にとうとう『協力しましょう』と約束した。富樫が条件を聞くと、村井は言った。『金はいらない。とくに条件もない』」（『密漁の海で』）

富樫衛の子息の富樫春季《はるとし》に話を聞くことができた。

「直接、父から話を聞いたことはなかったのですが、当時、新聞記者が来たりして、『玉屋《たまや》』

に米兵を匿っていたのは薄々感じていました。『玉屋』は、根室警察のすぐそばにあるのに、燈台下暮しというのですかね。父は、一本気で、真っ直ぐ筋の通った生き方をした人でした」(富樫春季)

『玉屋』というのは、根室の大きな旅館で、春季の妻の千香子《ちかこ》の実家でもある。千香子の話によると、

「わたしは昭和二六年(一九五二)生まれだから、高校生の頃だと思います。渡り廊下の向こうには行ったら駄目だと親から厳しく言われました。七百坪ある大きな旅館で、ユースホステルもあり、背の高い白人が泊っていたのをぼんやり覚えています。根室警察は、道路一本はさんだ向かいにあって、警察官もよくお風呂に入りに来ていたのにね。その外国人の人たちは天気のいい日には外に出なかったようです」(富樫千香子)

根室を取材したことがあるジャーナリストの粟野仁雄《あわのまさお》によると、北海道警察本部では脱走米兵の情報は最高機密として釧路方面本部までしか伝えていなかったので、根室署は事情を知らなかったのだろうとのことだ。

「根室で合流する一人を除いた脱走米兵五人は、付き添いの通訳・掛川恭子(現・児童文学者)

と共にこの日の午前九時三〇分、羽田空港発の日本国内航空二七一便のYS一一型機で、帯広空港を経由して、午後一時ごろ、釧路空港に到着。出迎えの男性二人と合流し、計八人で乗用車二台に分乗、まだ氷結していた阿寒などをドライブしていた。暗くなるのを待って根室入りしようと時間をつぶしていたのだ」(『密漁の海で』)

キャリコートが根室空港と思ったのは間違いで、釧路空港だった。ミセス・フジコワというのは掛川恭子である。このとき、脱走兵との通訳のため、東京から根室まで同行した。掛川は、当時は編集者だった。

「昔のことなのでよく覚えていませんが、脱走兵たちは、考え方も育ちも違うので、共通の話題を見つけにくく、食べ物の話ばかりしていた記憶があります」と言う。

本田の本では、シケが終わるまで待機することにし、厚床の友人で同じく根室市議（社会党）だった宮森《みやもり》秀一《しゅういち》に電話をかけた。

「『ベトナム戦争に反対する米軍脱走兵をしばらく休ませてくれ』

宮森は驚いたが、こころよく引き受けた。富樫は午後八時ごろ、歯舞の自宅を自分の乗用車

で出て、宮森の自宅に向かった。（中略）
宮森の自宅前で車を降りた脱走兵五人は、全員がコートとみすぼらしい背広姿。一人がボストンバッグをひとつ下げているだけだった。（中略）
富樫は『思ったほど緊張していないな』と思ったが、宮森にはおどおどと落ち着かないそぶりに見えた。宮森は突然の来訪者たちをビールでもてなした。米兵もボストンバッグから持参した日本産ウイスキーを取り出す。
『戦争は間違っている。一日も早く戦場から足を洗いたい』
米兵たちは口々にそう言ったが、みな積極的に話をしようという雰囲気はなかった。
どんどん時間が過ぎていく。シケは収まりそうにない。どこかで一泊する必要がある。しかし、これだけの外国人が旅館に泊まれば目立ってしまう。そこで宮森宅と村井の自宅に分宿することにした。遅くなってから、アーネットと掛川、釧路からの同行者の一人は村井の自宅へ移動して一泊した」（『密漁の海で』）

山口文憲は当時、予備校生だった。毎日放送の取材に次のように話す。

「突堤の先端に灯を消した漁船が待ってて、わたしが確か、そこらへんが映画みたいでいいんですけど、車のライト消して待ってると、向こうから合図したのか、こっちからか忘れましたけど、ヘッドライトを二回点滅させるという合図になってて、そうすると向こうから合図が来て、こちらから向こうまで全力で駆けろということで、兵隊たちが背を丸めて、とにかくでかいですからね、その船に乗り込むと、私はそこまで見たらすぐUターンして、痕跡をくらますようにして、そこらへんを走り回って、帰ってしまうということでしたね」（毎日放送『映像15』）

現在の根室港

密航から四七年後になる二〇一五年の四月下旬、毎日放送のクルーとともに、ぼくは北海道に行った。当時の記録と同じように阿寒湖は凍っていた。最も東にある根室はロシア語の多い港町で、駅前交番の看板さえ、ロシア語で書いてあった。根室に着いた日は凄い雨風で、ホテルで借りた傘の骨が壊れたほどだった。脱走兵たちもシケで苦しんだようだ。

脱走兵たちが出航した根室港は広いが、閑散としていて、海上保安庁の大きな船が停まっていた。船が着く場所には、「『密航』・『密輸』・『不審船』、船の『事件・事故』は局番なしの一一八番、第一管区海上保安本部」と書いた色あせた大きな看板が立てられていた。

上院文書では出航の様子を次のように記している。

「脱走兵たちはこの家に留って一夜を過ごし、翌日二三時までそこにいた。それから漁港に連れて行かれた。そこには一二〇フィート（三六メートル）ほどの、船体が緑で上部が白い漁船が泊っていた。五人の脱走兵たちは船長から、ロシアの領海まで短い船旅をする、そこでソビエトの海軍に〝だ捕〟される、と聞かされた。

ソ連の船に乗り移るというこの計画は脱走兵たちにとっては、いい気分ではなかった。かれらは既に密出国者として捜索されていることを知っていた。五人の脱走兵たちは船に押し込まれ、午前一時頃、二人の脱走兵が乗り込んできた。一人はケネス・グリッグス（米国籍の韓国人、陸軍一等兵、韓国名＝金鎮洙《キムジンス》）（二一）と名乗った。もう一人の名前はわからない。

キャリコートは、根室にいた時に、このロシアへの旅を続けるかどうかで、迷ったと言う。彼はミセス・フジコワにこの旅を続けたくないと言ったが、海軍の将校が東京の川で死体で見つかったとする英文紙を見せられて、説得されてしまった。この事件は沿海パトロールがキャリコートを探していることと関連しているのだと日本人は言うのだ。キャリコートはこの事件とは自分とは何の関係もないということを知っていたが、無許可離隊ということで、沿海パトロールは、この殺人とキャリコートを関係づけるだろうと思った。そこでキャリコートは再び考えを変え、ソ連に行き、その後、中立国へ行く旅を続けることに決めた」（上院文書）

根室港で、五人の脱走兵に二人が加わったというのは間違いである。在米コリアンの金鎮洙（四七年生まれ）一人が加わり、六人になった。

キムは朝鮮戦争で両親を失い、アメリカに養子にもらわれていき、ベトナム戦争に従軍した。六七年四月、日本で休暇中にキューバ大使館に亡命を申入れ、翌六八年一月、ベ平連に連絡してきた。キムは京都で同志社大学教授の和田洋一《わだよういち》の家に泊まっている。和田は、妻と娘に相談なく「脱走兵を預かるからな」と言うだけで、自分は講義に行ったといわれる。

キャリコート、シャピロ、ホイットモア、クメッツ、アーネット、それにキムの六人は以後、スウェーデンまで行動を共にすることになる。

ソ連に行くこと、しかも海上のソ連の船に乗り移るというのは、脱走兵たちも躊躇したようだ。だが、この少し前の四月四日には、公民権運動の指導者でノーベル平和賞を受賞したマーティン・ルーサー・キング・ジュニアが暗殺された。キング牧師はベトナム反戦の声もあげ始めていた。ホイットモアは次のように書いている。

「マーチー・ルーサー・キングが暗殺された。しかも私の町で……メンフィスで……なんと腐りはてた大馬鹿野郎どもか！……いや、これできまったのだ。決して、決して俺は……アメリカには帰るものか！」（『兄弟よ　俺はもう帰らない』）

キング牧師が殺されたニュースを、浜松の病院でホイットモアと一緒に見たジャテックのメンバーの吉岡忍《よしおかしのぶ》（ノンフィクション作家）もそのときのことを語っている。

「テリー（ホイットモア）はテレビを食い入るように見ていました。彼は黒人です。そしてメンフィスは彼の出身地だったんです。彼の目に涙が浮かんでいるのがわかりました」（『脱走の話―ベトナム戦争といま』）

その二ヵ月後の六月、今度は大統領選挙キャンペーン中のロバート・ケネディが暗殺された。むき出しの暴力と不正義がまかり通る時代だった。

『密漁の海で』では、出航の様子が次のように書かれている。

「全員がそろった。いよいよ出航の時刻が迫っていた。金勢丸のエンジン音が高くなった。午後九時四五分、富樫らが見守る中、村井と漁船員一人、船室の米兵六人を乗せたカニ漁船は静かに岸壁を離れ、やがて闇の中に消えていった。金勢丸を見送ると、富樫は緊張が解け、やれやれとホッとした気分になった。富樫と同行の掛川らは無言で顔を見合わせ、がっちりと握手をした」（『密漁の海で』）

根室まで付き添った掛川恭子は、「細かいことはよく覚えていませんが、暗い夜に脱走兵たちが船に乗り込んで船が出たときは、ほっとしたことを覚えています」と語る。

四月とはいえ、北海道の夜は冷える。脱走兵たちは薄着だったため、寒い思いをしたようだ。ホイットモアは船の中での脱走兵について書いている。

「船長は私たちを船室（ケビン）の下の部屋に案内した。真暗で、湿っていて、ひどく寒いところだった。着ている漁船員の服装はとても薄く、寒さを防ぐ役には立たなかった。私がちっちゃな毛布を持ってきていることを神に感謝しなくっちゃ。

『自由だよ、みんな自由なんだ！　俺たちゃすぐに自由になるんだ！』

ジョー（註：ジョセフ・クメッツ）が大声ではしゃいだ。船長からは静かにしていろと言われていたのだが、ジョーはちっともいうことをきかなかった。酒を飲みすぎて、口をつぐんでいられなかったのだ。だが、奴のいったことは、私たち全員がそれぞれ考えていたことであり、ただ口に出すのをはばかっていただけなのである。

ジョーは土性骨の座った奴で、やはり海兵隊員だった。彼はすでに何度もベトナム行きを拒否し、そのために営倉に放りこまれていた。奴らは彼を独房に叩き込んだのである。彼は一ヵ月間というもの、暗い独房に座ったきりで、そのために立てなくなってしまった。食物として与えられたものは、ひからびたパンと、水と、頭の半分ほどのレタスだけ、便所は床にふたつのない穴があいていただけで、その水は、看守にしか流せない仕組みになっており、しかも看守がその気になった時だけ、水を出すのだという」（『兄弟よ　俺はもう帰らない』）

10　ソ連船に乗り移る

金勢丸は根室港を出て、国後島付近のソ連が主張する領海に行き、ソ連の船に横づけになった。

「脱走兵たちは五時間ほど船底にいたあと、やっと駆逐艦と思われるソビエトの船に近づいた。滑車を備えた装置によって小さい船はソ連の船に横付けになった。そこで脱走兵たちは向こうの船に飛び移るよう指示された。誰だったか一人はいやだと言っていたが、他の脱走兵たちはそれに従った」（上院文書）

ホイットモアの描写は現場の雰囲気をよく伝えている。

「ドアがあいて船長が顔を出し、行け、というサインをよこした―それ、飛出すんだ！　サッと電光石火のごとくキムが飛出し、煙突をまわって手すりによじのぼる。せりあがったソ連船が波の合い間に入ってググーッと下がり始める。そして二隻が同じ高さに並んだ時、キムはジャンプし、こっちの船より低くなってゆくソ連船のデッキに飛降りた。彼は時間をまったく無駄にしなかった。

私は仲間のためにドアをおさえていた。二番目はジョーだ。あんなに日本酒を飲んだというのに、少しも、モタモタしていなかった。

『今こそ自由になるんだ、おい。俺たちは自由だ、本当に自由なんだぞッ！』

サッ、一メートル半か、いや二メートルぐらいか、ジョーは無事に跳んで、どうだ、見事なもんだろうといった顔をして笑った。

フィルの奴は、煙突をまわって飛移る場所へと駈ける時に足を滑らせ、もう少しで船から落ちそうになった。煙突の真横のところは手すりがなく、デッキも煙突もビショビショにぬれていたのだ。彼はターザンみたいなジャンプをやってのけた。

パピー（エドウィン・アーネットがモデル）はデッキのところまで出てきていた。煙突をまわって、跳ぶ構えをした。だが、あの馬鹿は、ロシアの船が下がるのを待つんじゃなくて、せり上がってくるのを待ってやがったんだ。

ヒュー、ガクン！　手すりを越えたのは片足だけで、残った片足が手すりにひっかかり、パピーは波の上に逆さにぶらさがった。一人のロシア人が奴の足をつかみ、私はその横から身をのり出して奴の手をひっぱった。

『足から血が出てる。折れたような気がする』

『手めえのせいだぜ、パピー。どうしようもないグズだ』」（『兄弟よ　俺はもう帰らない』）

のちに、キャルにこのときの様子を確かめた。キャルは次のように答えた。

「そう、ぼくたち六人は小さなロシアの軍艦に乗り移った。ぼくたちが日本の漁船からロシアの船にジャンプしたときは、荒れた強風の嵐の日だった。ひとりが船から落ちそうになったというテリー・ホイットモアの話は本当だ。それはエドウィン・アーネットだったように思うが、ほとんど二つの船の間に落ちそうになった。落ちれば、命を落としていただろう」（キャル）

ホイットモアは、ソ連船での歓迎パーティーで、鮭の山盛りとウオッカが出て、キャルが一気飲みしたことを書いている。


「私たちは船長の食卓に賓客として招かれることになっていた。飢えた難民の一団はどやどやと押しかけ、ドスン、ドスン、ドスンと席に着いた。キムだけが他の者から離れてテーブルの端っこに座った。彼はこの一行の中でいつも一人だけ離れていた。（中略）

船長が手を打つ。給仕が新しいロシアの火酒の瓶を運んでくる。

『船長は皆さんがたに、この強い酒を一緒に飲もうと挑戦しています。これはほとんど百パーセントのアルコールです』

ジョーでさえもが、この代物からは手を引くだけの分別をもっていた。

『船長にいってくれ。俺がその挑戦に応じましょうって』

フィル（キャルのこと）って奴は利口馬鹿だ。どんな馬鹿げたことでもお構いなしに試してみようとしやがる。

船長はまず自分用になみなみとそれをついだ。彼はパンを一きれ口に突っ込んでから、息を深く吸って、そいつをぐっと飲みほした。

『ウヒャーッ』

目をまるくして座りこんだまま、私たちはそれをまじまじと眺めていた。ひとしきりの騒ぎがおさまると、全員の眼はフィルに注がれた。

『やりゃあいいんでしょ。諸君。わけねえって』

どうしようもない奴だ。

通訳氏がやり方を彼に教えてやった。フィルはパンのかたまりを口に押し込んだ。例の毒を半分ほど注いだグラスが彼の前におかれた。グイッ。飲み込んだ。

『どんな気分だい？』

『何てことないよ、諸君』

この船長は根っからの軍人タイプだった。仕事に戻らせて頂きたい、と彼はいった。パーティーはこれまでだ。彼はおやすみなさいを言い、私たちがお礼をのべると、サッとブリッジへ向かって去っていった。

フィルはまだ椅子に座ったままでいる。船が一方に傾くと彼の身体はそれと反対側に揺れた。顔はどんどん真赤に変わっていく。

『われらが大馬鹿英雄殿を部屋に連れてってやったほうがよさそうだぜ』

彼は立ち上がった、と思う間もなく床へぶっ倒れた。

『この阿呆をかついでかえらなくちゃ』」（『兄弟よ　俺はもう帰らない』）

確かにキャルは酒が好きだった。我が家でも日本酒をグイグイ飲んだ。一九歳の未成年だったにもかかわらず。キャルはソ連船で強い酒を飲んだことは覚えている。ただし他の脱走兵も飲んだという。

キャルはこの歓迎パーティのことは軍に話してないようで、上院文書では、ソ連の船の上で、脱走兵たちはずっと船倉にいなければならなかったと報告されている。

「そこは将校用の部屋の近くだと思われる。キャリコートは船では食事係以外に士官は一人も見なかったと言う。アメリカの脱走兵たちは、ずっとソビエトの海軍士官の監視下にあった。船は古く、錆びており、排水がとても悪かった。

脱走兵たちは三〜四日間、船室にいて、一九六八年四月二五日にとうとうウラジオストック近くの海岸に着いた。船はそこに碇を降ろし、みんなは小さな巡視船に乗って上陸した。かれらはウラジオストックの軍将校と会い、車で一時間ほど走って、保安局に連れていかれた。保安局で脱走兵たちは、その将校に身上書類を提出した。その将校は制服から私服に着替え、ミカール（あるいはマイク）と自己紹介した。マイクは、自分は〝ベトナム民主共和国支援〟（SDRV）、あるいは〝ベトナム人民支援グループ〟（VPSG）のメンバーだと言い、ロシア滞在中は彼が脱走兵に付き添うと言った

この軍人は二〇代後半から三〇代で、金髪で青い目をしていた。キャリコートの観察によると、マイクはソビエトの諜報機関の幹部のように思われたが、時折、大酒を飲んだ。

もう一人、オレッグというロシア人も付き添った。英語を話さない静かな男だったが、キャリコートは、彼がジャケットに常にピストルをしのばせていたと言う」（上院文書）

このあたりのキャルの軍への供述は、元新聞記者の関根《せきね》忠三《ちゅうぞう》が公安関係の資料をもとに書いたドキュメント『隠蔽されたベトナム戦争脱走米兵亡命作戦』の経過とは違う。関根によると、脱走兵たちは四月二二日の深夜に根室を出て、二三日の早暁に国後島沖でソ連の警備艇五七〇に乗り移り、国後島へ行っている。そして翌日、国後島の空港からプロペラ機でソ連本土のハバロフスク空港に向かい、そこでジェット機に乗り換えてモスクワに飛んだという。キャルは

自分がどこにいるかよくわかっていないようだから、関根の著述の方が事実に近いと思われる。モスクワ行きの機内で、金鎮洙と他の米兵との間で論争があったことををホイットモアが書いている。


「やがてキムが、六日間のだんまりを破って偉そうな口をきき始めた。

『いいかい、君らはただのくだらん臆病者なんだ』

『何だって？』

『君ら馬鹿者は卑怯な連中だってことさ』

『馬鹿な、いったい何のことをいってるんだ？』

『君らには脱走する理由なんかなかったんだよ。立派なわけがあるのは僕だけさ。君らはどうして脱走なんかしたんだ？　さあ、わけをいってみろよ』

わけを言えだって？　そんなことを聞ける貴様はなに様だっていうんだ。てめえの命のことについて手めえがやることの理由を、誰かに説明しなきゃなんねえなんて理屈がいったいどこにあるかってんだ。キムよ、とにかく君は誰の味方なんだ？

『キム、俺たちゃみんなベトナムから来たんだぞ。テリーの奴は負傷して勲章までいくつももらってるんだ。何だってそんなぶち壊しをやりやがるんだ？』

ジョーがキムにかみついた。実際、キムって変な野郎だという以外には、誰にも本当のところはわからなかった。フィルはこのあとの旅行の間中、キムと仲良くなろうとして大変な努力を払った。そして、私たちが何かをしようという時に、彼はいつもキムを特別に誘うようにしていた」(『兄弟よ　俺はもう帰らない』)

金鎮洙はベトナム戦争を終わらせるために、反戦活動をしたいと思っていた。彼からみれば、他の五人は酒と、女の子の話をするだけのくだらない男に見えたのだろう。キャル以外に金鎮洙と話をしようとするものはいなかったようだ。

11　モスクワでの生活

六人の脱走兵の行動について、アメリカの上院文書は次のように報告している。

「脱走兵たちはウラジオストックにはしばらくいただけで、マイクとオレッグに付き添われてモスクワに飛んだ。脱走兵たちはモスクワでスタニスラフスキー、あるいはスタンレーというロシア人に会った。彼も脱走兵たちをエスコートする役目だった。彼は英語を話した。

新聞などのメディアが来たが、脱走兵たちはこの段階では声明を出すことを求められなかった。六人の脱走兵は一〇日ほど、モスクワ見物をしたが、一つか二つのグループにされ、常時監視されていた。マイクがエスコートの責任者のようで、脱走兵たちの飲み食いの代金は、いつも彼がレシートにサインするだけで済ませていた。

あるとき、脱走兵たちは独自にモスクワ観光に出かけることができたが、深夜にホテルに帰るように求められた。この期間、脱走兵たちは名前の知らないホテルに泊まっていたが、それはアメリカ大使館の近くで、モスクワの中心である赤の広場のすぐ近くにあった。

モスクワで脱走兵たちは、ＳＤＲＶ＝ＶＰＳＧの幹部と思われる男に会った。この男はコスイギン首相に似ていて、四月二八日に脱走兵全員のテレビ出演を手配した。

彼らはみんなベトナムでのアメリカの行為を非難する声明を読み、ベトナムでの米軍による残虐行為を述べるように言われた。それぞれの脱走兵はこの出演で六八ルーブルをもらった。

この声明について、キャリコートはロシア側が準備したもので、彼自身が作成に関与したものではないと主張する。キャリコートによると、彼の声明は控えめなものだったが、内容はベトナム戦争へのアメリカの関与を非難するものだった。

脱走兵たちはモスクワからレニングラードまで飛び、観光旅行をしたことがあった。彼らは常に厳しく監視されていたが、ある午後、ホイットモアとクメッツの二人がこっそり抜け出て、女の子を探して二四時間どこかに行ってしまった。二人はぶらぶらしていただけだと主張したが、二人はひどく叱られ、今後二度と単独で行動してはいけないと言われた。レニングラードではヘレンというロシア女性が脱走兵の担当だった」(上院文書)

ソ連は六人の米国脱走兵を滞在させる中で、反米とベトナム反戦活動のプロパガンダに利用したいと考えていた。脱走兵たちはテレビに出演し、米軍の残虐行為を証言した。ホイットモアによれば、アーネットは、注目を集める必要から「でたらめ」をしゃべりまくったという。その一つは、赤ん坊を射ち殺せと下士官に命じた将校が、断った下士官を赤ん坊とともに射ち殺したという話だ。作戦行動中にそんなことをすれば、「他の兵隊はたちどころに将校を殺《や》ってしまうだろう」とホイットモアはいう。

「放送の真最中ではあったが、私たちは本当の話をするか黙っているかしろと奴にいったほどだった。

ロシア人たちは私たちをある町の公会堂から別の町の公会堂へと、国中をひっぱりまわしたが、それにはそれなりの宣伝目的があったはずだ。だが、私たちはそれと交換に大きな贈り物がもらえることになっていた－つまり新しい故郷までの片道切符と安全通行権である。私たちは政治にかんするたわごとには慣れていなかった。だから連中に出来たことは、せいぜい、私たち一行を晩餐の席につけさせて、ベトナムへ戻ることを拒否した六人のアメリカ青年だと紹介し、エンエンとくだらん話をつづけ、そしてお掛け下さい、食べて下さい、飲んで下さい、ということだった。おそらく、私たちという存在は、宣伝のためというよりは宴会をやるためのいい口実だったのだろう」（『兄弟よ　俺はもう帰らない』）

ホイットモアたちにすれば、政治宣伝はどうでもよく、関心は女性のことだった。

「パピー（アーネットのこと）は私たちのことを報じた『プラウダ』の切り抜きを持っていた。それは実際、彼女たちの心を大いに動かした。パピーにとっては、その切り抜きが女と寝るための大事な唯一の切符だったのだろう。（中略）ジョーと私とは、可能なかぎりグループから離れ、女を求めてうろつき回った」（『兄弟よ　俺はもう帰らない』）

キャルも女性とつきあっている。上院文書は、キャルと女性との会話を記述している。

「黒海で充分バカンスを楽しんだ脱走兵たちは、モスクワに帰り、一週間ほど、飲んで街をぶらつく以外、何をすることもなく過ごした。リキュール酒はいつもふんだんに置いてあり（ロシア滞在中、ずっとそうだった）、女の子も簡単に引っ掛けることができた。女の子をホテルに連れて来て、夜を過ごしても、文句を言われなかったし、キャリコートも一週間ほど、タニアというロシアの女の子と過ごしたことがあると言う。ホテルの名前はスプートニクだったが、ときにトレード・ユニオン・ホテルと呼ばれていた。

キャリコートによると、このタニアという女性は二〇代前半の非常に魅力的な女性で、英語を話した。キャリコートとはバーで知り合い、一週間ほど彼のホテルで過ごした。あるとき、タニアは彼に『沖縄には、いくつ原子爆弾が貯蔵されているの』と尋ねたことがあった。キャリコートは、自分を利用して軍の情報を聞き出すことがタニアの仕事だったのだろうと言う。

ロシアに滞在している間、一行はずっと監視下にあったとはいえ、公式に尋問されることはなかった。脱走兵たちは生活を楽しみ、リラックスし、なかにはほとんど毎日飲んだくれているものもいた。ロシア人たちは、キャリコートによれば、脱走兵たちが飲んでばか騒ぎをすることを奨励しているようで、脱走兵たちとのお祭り騒ぎに参加しようとした。

キャリコートが言うには、ロシア人は公式には尋問しなかったが、こっそりと彼や、他の脱走兵たちに質問を続けた。軍の組織、ベトナムで使われている武器、軍の強さ、海軍の暗号、などである。タニアはあらゆる機会を使って、彼に海軍での活動を尋ねた。キャリコートはいつも嘘の回答をしたが、他の脱走兵たちはまともに答えたかもしれない。

ソビエトのメディアの中で、タス通信と『プラウダ』（共産党機関紙）は脱走兵たちが旅をするごとに常に付き添い、インタビューや討論を行なった。キャリコートは三つ以上の声明は出していないし、その内容も穏やかなものだったが、他の脱走兵の何人かは、非常に激しい内容を含み、進んでロシアが要求に沿った声明を出すものもいた」（上院文書）

軍の尋問に対して、キャルは、自分は他の脱走兵たちよりも用心深く、ロシア人の手に乗らなかったかのように語っている。また、自分はなりゆき上、やむなくロシアに行ったかのように主張している。声明についてもロシア側が作成したものだとして、自分の関与を否定している。他の脱走兵よりも自分の方が、罪が軽くなるよう、気を配って供述している様子がわかる。

キャルが仲良くなったというタニアという女性はやはり工作員だと思われる。

復帰前の沖縄の基地には、核爆弾が一三〇〇発（六七年）あったことが今ではわかっているが、彼ら下っ端の兵隊は正確な情報を持っておらず、ソ連側も利用価値がないとあきらめたためか、厳しい尋問はなかったようだ。

ホイットモアは、東欧圏のジャーナリストたちのインタビューを受け、「見当はずれの話がえらく出た」と書いている。

「『ベトナムの前線には黒人兵だけが出されるっていうのは本当じゃないんですか？』

『ええ、黒人兵の大部分は戦闘部隊ですが、しかし前線には黒人も白人もいっしょにいます』

（中略）

ショーの終わり頃になって、今度はキムが、アメリカに原爆を落とす話をやりだした。そうすれば世界中の問題は全部方がつくだろうというのだ。これには通訳の一人が怒りだした。

『あなた、気は確かですか？　どんな国だって核兵器は使っちゃいけないのです！　ソ連とアメリカはこうした兵器を決して用いるべきではありません。全世界を破滅させるだけで、何の問題も解決はできません』

これはキムを黙らせたし、私たち全員もびっくりした。キムはある種の妙な妄想をもっていたが、それが何であるか私たちにはついぞわからなかった。

それ以後もう記者会見はなかった。ひたすら観光旅行と乾杯がつづき、汽車と飛行機だけだった」（『兄弟よ　俺はもう帰らない』）

金鎮洙に「アメリカに原爆を落とせ」とまで言わせたものは何だったのか。おそらくアメリカとベトナムでのつらい体験に基づくものだったろう。

金鎮洙については、上院文書の中で、次のように書かれている。

「長いソビエト滞在中、脱走兵の中で衝突することもあった。キャリコートはグリッグス（金鎮洙のこと）と殴り合いの喧嘩をしたことがあり、一度はグリッグスに殺すぞと脅かされたこともあると言う」（上院文書）

このことをキャルに尋ねると、軽い口喧嘩をしただけだと言う。

「グリッグスはソ連でアメリカの国旗を焼こうとしたことがあった。グリッグスはスウェーデンには一緒に行ったが、その後、消えてしまい、他の脱走兵たちも彼の行方を知らない」（上院文書）

金鎮洙は、日本における米軍脱走兵の第一号である。彼は六七年三月一八日にベトナム帰休兵として、神奈川県座間に来ていたが、四月三日にキューバ大使館に行き、亡命を求めた。大使館はこれを認め、直ちに外務省に対して「金鎮洙の出国の安全を保証してほしい」と要請したが、外務省は認めず、逆にキューバ大使を呼び、身柄の引き渡しを要求した。キューバ大使館は本国政府と連絡をとった上で、引き渡しを拒否し、以後八ヶ月に渡って金鎮洙はキューバ大使館に閉じこもる形になった。六七年五月一七日の朝日新聞は、キューバ大使館で卓球をする金鎮洙の写真を載せ、「キューバ大使館の亡命米兵・元気に語学に熱中・出たら逮捕の運命」という見出しで大きく扱っている。

新聞によれば、亡命の動機について、金鎮洙は次のように語っている。

「ベトナムにおけるアメリカの侵略戦争をこの目で見て戦争に憎しみを感じた」

大使館の幽閉生活も苦しかったのだろう。八ヶ月後の六七年暮れ、金鎮洙はキューバ大使館を抜け出て、総評本部へ行き、そこの紹介で、六八年一月から、ベ平連にかくまわれることになった。

当時の外務省の発表によれば、金鎮洙は米国籍を持っていない。

キャルは金鎮洙との関係について、次のように語っている。

「後になってからぼくはキムのことを理解するようになった。彼は白人の家族の養子になり、

ストックホルムに着いた６人の脱走兵。右から３人目がキャル、左端が金鎮洙
AP/アフロ

人種差別の環境の中で育った。彼はコリアンだった。違う人種には厳しく当たる人々に囲まれていた。彼の友達になることができなかったことを後悔している。彼はぼくたちのグループの中で一番不幸だった。彼がいい人生を送っているといいのだが」

スウェーデンのストックホルムに着いた六人の脱走兵の写真を見ると、金鎮洙はサングラスをし、一番後ろで、ややみんなから離れて写っている。

金鎮洙はその後、スウェーデンを出て、スイスに渡った。貿易関係の仕事をしているという話だ。

間奏曲　シャンソン「脱走兵」

フランスは、脱走兵を援助する運動が盛んな国だった。フランスの作家、詩人で、戯曲も書いたボリス・ポール・ヴィアンは「脱走兵」というシャンソンの歌詞を書いた。

ボリス・ヴィアンは1920年生まれ。40年代から小説を書き始め、映画「墓に唾をかけろ」の原作などを書いている。59年に39歳の若さで亡くなった。当時はあまり認められなかったが、死後、サルトルやコクトーなどによって再評価が進み、68年の5月革命の頃には、若者たちから強い支持を得るようになった。

彼は、パリ左岸のサン・ジェルマン・デ・プレのクラブでトランペットを吹いたり、自ら歌手としてシャンソンを歌ったこともある。「脱走兵」（Le Déserteur）は、アメリカが介入する前の、フランスがベトナムと戦ったインドシナ戦争からの脱走を扱ったもので、大統領への手紙の形式をとっている。ボリス・ヴィアンの歌としては、最も有名な曲だ。この歌はフランスで人々に愛唱されたが、当時、ラジオでの放送禁止曲とされた。

その後、この歌は「脱走兵」という子ども向けの絵本にもなり、日本では沢田研二らも歌っている。次のような言葉がある。

「大統領殿　わたしは戦争をしたくはありません　哀れな人々を殺すために　この世に
生を授かったのではありません
あなたを怒らせるつもりはありませんが　言わせていただきます
私は決めました　脱走します」

「私は人々にこう言います　服従することを拒否しなさい
戦争をするのは拒みなさい　戦争に行ってはいけません　出征を拒否するのですと
もし血を流さなければならないとしたら　どうぞあなた（大統領）の血をお流しください」

絵本やシャンソンの映像を見ていると、フランスでの脱走兵のイメージは、アメリカや日本と違い、すっきりとした、明るい雰囲気が感じられる。

年表２

1968年	１月	金鎮洙、キューバ大使館を出て、ベ平連へ。
	１月	佐世保で米原子力空母「エンタープライズ」号入港阻止闘争。デモ隊、警官と衝突し68名重軽傷。 小田実、吉川勇一ら、小船で「エンタープライズ」号乗組員に脱走を呼びかける。
	２月	米海兵隊伍長、クメッツ、ベ平連へ。
	２月	米陸軍特技兵、エドウィン・C・アーネット、ベ平連へ。
	２月	米海軍一等水兵、フィリップ・A・キャリコート（キャル）、横須賀の基地から脱走してベ平連に連絡。
	３月	陸軍特技兵、マーク・アラン・シャピロ、ベ平連へ。
	３月	海兵隊上等兵、テリー・ホイットモア、ベ平連と連絡。
	３月	南ベトナムのソンミ村で米軍による村民虐殺事件が起こる。
	３月	スウェーデン政府、米のベトナム政策を批判。
	４月	アメリカでマーティン・ルーサー・キング牧師、暗殺される。
	４月	キャルら脱走兵６人、根室から船で脱出。
	５月	脱走兵６人、モスクワでテレビ出演。
	５月	脱走兵６人、ストックホルム到着。
	５月	パリでアメリカと北ベトナムによる和平会談始まる。
	５月	パリで激しい街頭闘争続く。５月革命。

第四章　脱走を伝えた新聞記事

1　アメリカ……家族は死んだかと心配した

キャルたちがモスクワで記者会見した翌日の一九六八年五月四日、アメリカの新聞は六人の脱走を報じた。オハイオ州の『ニュース・ジャーナル』(News Journal) は、ソビエトのタス通信の記事をもとにして、ＡＰ通信が配信したキャルを真ん中にした三人の脱走兵の写真入りで掲載した。キャル一家がオハイオ州のマンスフィールドにいたことから、地元出身者として、キャルを中心にした記事になっている。

「マンスフィールド出身者は脱走したのか？

ソビエトのタス通信によると、マンスフィールド出身のフィリップ・キャリコートがベトナムでの米軍からの脱走者の中にいる。タス通信が発表し、ＡＰ通信が配信した写真では、左がメッツ（クネッツのこと)、中央がキャリコート、右がシャピロだとしている。

二〇歳（ほんとは一九歳—著者）のマンスフィールド出身の兵士（キャルのこと）は、昨日、ほかの五人の米軍脱走兵とともにモスクワのテレビに出演し、ベトナムで様々な残虐な犯罪に手を染めているとして米軍を非難した。ニュース・ジャーナルの取材によると、フィリップは、五〇年代にマンスフィールドを離れたキャリコート牧師の息子である可能性がある。キャリコート牧師には一〇人の子どもがいて、娘たちは「歌うキャリコート一家」を結成し、地元のテレビ局や教会でゴスペルを歌っていた。

若い兵士、水兵、海兵隊員らは、『米軍はベトナム人を〝ジェノサイド〟（大量虐殺）、拷問、レイプ、ガスで焼き殺したりしている』と述べた。

ソビエト共産党機関紙『プラウダ』によると、脱走兵たちは、米軍はヒトラーのSS（親衛隊）以上に残忍な犯罪をベトナムで行なっていると非難した。脱走兵のひとり、シャピロ（二〇）（ほんとは一九歳―著者）はテレビのインタビューで『ベトナム人は米軍によって、殺され、絶滅させられつつある』と述べた」（『ニュース・ジャーナル』紙六八年五月四日）

このシャピロの発言は誇張とも言えない。キャルが奈良の「フレンズ国際ワークキャンプ」にかくまわれていた三月一六日朝、ベトナムのソンミ村では、米軍による無抵抗の村民への虐殺が行なわれていた。「ソンミ村虐殺事件」である。キャルと最初に会ったべ平連の吉川勇一は、その後、ソンミ村を訪れ、〇二年に事件をまとめているが、それによると、

「虐殺された民間人の総数：五〇四人。うち一八二人が女性（そのうち一七人が妊婦）、一七三人が子ども（そのうち生後五ヶ月以内のものが五六人）、六〇歳以上の老人が六〇人、あと

八九人が中年の村人」であり、五〇四人の名前がソンミ村虐殺記念館に記されている。

米軍はこの事件を隠蔽していたが、やがて小さな通信社の記者、シーモア・ハーシュによって知られるようになった。軍事法廷では一四人を殺人罪で起訴したが、有罪はカリー大尉だけだった。それも終身刑の判決だったが、三年後には釈放されている。この事件はアメリカ軍の残虐さを世界に知らしめ、世界各地のベトナム反戦運動に拍車をかけることになった。

また、モスクワでのテレビ出演から二週間ほど経った五月二二日、イリノイ州の『ジェニーバ・NY・タイムズ』は『ワシントン・ポスト』の記者が、父親などにインタビューして、キャル個人に焦点をあてて書いた記事を掲載している。

「フィリップ・キャリコート／ベトナム戦争の脱走兵の物語
二月八日、横須賀でフィリップは兄のジョンから五〇ドル借り、翌日姿を消した。ジョンと米政府関係者は街やバーなどを探しまわったが、見つけられなかった。そして先週末、一九歳の若者の家族は、彼が米海軍を脱走し、他の五人の米兵とともにモスクワに行ったことを新聞で知った。
金曜日の夜、六人のアメリカ人はモスクワのテレビに出演し、アメリカの〝ベトナムにおける攻撃と大量殺戮〟を理由として、脱走したことを語った。彼らがまだモスクワにいるのか、あるいはいつこのフィルムが撮影されたのかはわからない。

若者の両親、エドワード・キャリコート牧師夫妻は驚いた。『フィリップはわが国のベトナムでの行動が嫌になり、混乱していたことを知っている』と、キャリコート氏は電話のインタビューで答えた。『でも、彼はロシアには行ってはいけなかった。ソ連は我々の敵だ。彼らはフィリップを食いものに、利用するだろう』

『もし彼が父に相談してくれていたなら、こんなことにはならなかっただろう。彼に会ったら、どうしてこんなことをしたのだと聞きたい。わたしも個人的にはこの戦争に賛成ではない。しかしわたしは彼の行動を許すことはできない』と、ペンテコスト派の牧師であるキャリコート氏は語った」(『ジェニーバ・NY・タイムズ』紙六八年五月二二日)

ペンテコスト派とは、二〇世紀初頭に生まれたキリスト教プロテスタントの一派で、霊感を重視し、多くの賛美歌やゴスペルがこの教会から生まれている。キャルによると彼の家では父親に絶対服従することになっていて、反抗することなどできなかった。父親から暴力を振るわれることもあったという。しかし、父親から見たキャルは元気な男の子だったようだ。

「フィリップの両親によると、彼は『快活で攻撃的な男の子』で、高校にあまり行かなかった。二年前、彼は高校を辞めて海軍に志願したが、その理由は世界各地を回れるからだった。キャリコート氏は言う。『フィリップはあまり手紙を書かなかったが、兄のジョンの手紙で、わたしは兄弟二人ともベトナムで行なわれていることに激しく反対していることがわかった。兄弟はベトナムで汚い戦争を戦わされていたのだ。しかし、そのことで彼の行為を正当化することはできない。彼はゲーム感覚で、面白半分だったかも知れない。……しかし、彼はわたしの息子だ。よくもあしくも、私の息子なのだ』

横須賀で同じアパートに住んでいたジョン（二三）はフィリップを探したが見つからず、横須賀から両親に電話した。家族はフィリップがバーで喧嘩に巻き込まれ、殺されたかも知れないとさえ思った。

キャリコート氏は『ザ・キャリコーツ』のマネージャーをしていたことに言及した。これはキャリコート氏の娘四人で構成するコーラス・グループで、三年前まで、アメリカ各地、アラスカ、ドイツ、グリーンランドなどを回り米軍兵士を慰問していた」（同上）

『ザ・キャリコーツ』は、米軍の慰問で各地を回ったほか、アメリカCBSテレビの有名なバラエティ番組『エド・サリバン・ショー』に六三年に出演している。キャルは六人の兄弟と四人の姉妹がいて、彼は七番目だという。『エド・サリバン・ショー』に出たのは、最後の出演で、その後姉妹たちは結婚し、母になったということだ。米軍に協力してきたのに、米軍や政府がフィリップの捜索に冷淡で、情報もくれないとして、キャリコート氏は怒る。何度連絡しても返事がなく、やっと来たのは「フィリップは料理係の助手をしていて、脱走兵と認められた」というものだった。記事は次のように結んでいる。

「『なにはともあれ、フィリップが生きていて、わたしたちは嬉しい』とキャリコート氏は言う。『フィリップについての情報を得るために六週間も政府に尋ね続けねばならなかった。こんな扱いを彼が受けていたなら、彼が逃げたのも不思議ではない』」(同上)

2　日本……犯罪扱いの新聞記事

キャルたちが日本脱出に成功した翌年の一九六九年二月一六日、『サンケイ新聞』は「〝ベ平連〟地下組織にメス」という大きな横見出しの記事を掲載した。その他の見出しは「これが米兵の脱出ルート」、「根室から一七人国外へ」、「アジトに教授や外交官宅」、「脱出手引きの予備校生、短銃所持で逮捕」などで、「アジト」「地下組織」「短銃」などの見出しが躍る。ただ、ごく小さいスペースで、「『米兵スパイのでっち上げ』べ平連が抗議」の記事も添えられている。
「警視庁は一五日、米脱走兵を国外に脱出させる日本の地下組織『ジャティック』(反戦脱走米兵日本技術委員会)にはじめての捜索のメスを入れ、脱走米兵の脱出を北海道で手引きした予備校生をピストル不法所持の疑いで逮捕。同時に脱走米兵をかくまった大学助教授宅など、都内のアジト三カ所を捜索した。『ジャティック』の活動そのものは現在の日本の法律にふれないが、公安当局は外国の反戦組織とつながりの深いべ平連や『ジャティック』を通じて、国内の過激な団体に密輸入の銃器が流れ込む恐れがあるとして、ピストルの行くえを厳しく追及する」(『サンケイ新聞』)
「ジャティック」と誤記されているが、「ジャテック」の活動が「日本の法律にふれない」というのは、そのとおりである。米兵とその家族は、日本への出入国はフリーであるため、その支援活動も法律にはふれない。もっとも、そのことを知ったのは、あとのことで、ジャテックの主要メンバーもはじめは知らなかったと鶴見俊輔は語っている。
「私たちの運動の担い手は、法律の知識を持っていませんでした。だから、脱走兵を援助するわれわれ自身も逮捕される可能性があると思っていた。いまの映画（イントレピッドの脱走兵）に出ていた日高六郎《ひだかろくろう》、小田実、開高健、私の四人が、みな法律の知識を持っていなかったんです。また、この場所を提供した鶴見良行は、東大法学部、法律学科を卒業しているのですが（笑）、当時はアルバイトが大変だったから、彼も知らなかった。日本人が脱走米兵を助けても、日本の法律にふれないことを知ったのは、この運動が発足してからかなり長い間たってからなんです」（『脱走の話―ベトナム戦争といま―』吉岡忍・鶴見俊輔）

サンケイの記事は、「法律にはふれない」としながらも、銃器の流入に関する犯罪を思わせる記事である。ピストルの不法所持で逮捕された山口文憲の写真も掲載されているが、山口文憲が持っていたのは、モデルガンで、本物のピストルではなかった。こうした記事はすべて、警察、公安筋からリークされたものだ。

キャルたち六人が根室から脱出に成功した後、米軍はニセの脱走兵、つまりスパイを送り込み、脱走ルートをつぶそうとした。ラッシュ・ジョンソンというスパイは脱走兵だとして、べ平連を訪れ、あちこちでかくまわれたあと、出航の直前、摩周湖の近くの弟子屈温泉で、トイレに行くと言って、ジャテックのメンバーから離れ、米軍に連絡した。米軍から協力要請を受けた日本の警察はパトカーなど、多数の警察車両を出し、山口の運転する車を停め、一時拘束した。ジョンソンと一緒に脱出する予定だったメイヤーズは米軍に連行されてしまい、以後、根室から脱出するルートは、使えなくなってしまう。

関根忠三《せきねちゅうぞう》の著述によると、このスパイ、ジョンソンはアメリカの海軍犯罪捜査局（ＮＣＩＳ）の調査官だった。本国の中央情報局（ＣＩＡ）で厳しい訓練を受け、日本語もよく理解できた。年齢は二八歳で、事前に根室周辺の下見もしていたという。アメリカ当局はスパイをおとりにして一行をずっと尾行していた。

「後に公安捜査幹部は、ＮＣＩＳから手配を受けたのは、ジョンソンを除く一行が釧路川大橋上で拘束されるわずか三時間前だったと証言している」（『隠蔽されたベトナム戦争脱走米兵亡命作戦』）

『サンケイ新聞』には、スパイの話は書かれていない。「べ平連の地下組織」を怪しげに書くよう、新聞は誘導されている。

同じ日の『朝日新聞』は「べ平連の活動家逮捕」「ピストル不法所持容疑」という四段の見

出し。ピストル（実は玩具―著者）に絞った記事で、「政治的な弾圧　べ平連」という二段の見出しで反論のスペースをとっている。

『毎日新聞』も「ジャテック初手入れ」という四段見出しで、「秘密のベール全容明らかに」と書いている。「べ平連は否定」というベタ記事も入っているが。

一〇日後の二月二六日、『読売新聞』にも脱走兵の記事が大きく載った。「〝脱走兵援助組織〟の全容」という大見出しで、モスクワで会見するキャルら六人の脱走兵の写真や地図も出ている。「これが『モスクワ』へのルート」「教授、労組幹部ら三百人が手引き」「費用、一人二〇万円」「法で取り締まれぬ地下組織」などの小見出しがある。

記事によると、六八年八月、キャルは「スウェーデンの〝逃亡生活者〟にいや気がさして、ストックホルムの米大使館に〝自首〟、帰米した」とされている。そして日本での逃亡生活について、大阪の弁護士宅で三日間泊ったあと、「京都、神戸、和歌山など一四か所を転々、大学教授や医師、カメラマン宅で二、三日ずつ匿ってもらった。その間に脱走した理由などを聞かれ、声明書を書いたり、フィルムにとられた」と書かれている。カメラマンとは、ぼくのことに違いない。キャルは逃亡ルートをばらしてしまったのだ。

個人を特定できるかたちでしゃべってしまうなんて、ひどいと思ったが、「まあ、しょうがないな」という気持ちもあり、キャルを責める気にはならなかった。

『となりに脱走兵がいた時代』では、こうした悪意ある新聞の報道姿勢を厳しく批判している。

「これらの記事は、ほとんどが公安筋か米軍から得た情報や彼らの推測にもとづいたもので、なかには私たちから見て噴飯ものの話も多かった。メイヤーズ逮捕に関して中心的な役割を果たした米軍のスパイ、ラッシュ・ジョンソンに触れた記事はひとつもなかった。しかし、何より許し難かったのは、彼らが反戦脱走兵と私たちを犯罪者扱いし、法を犯す隠謀家集団というイメージを人びとに植え付けようとしたことだ。私たち当事者はもちろん、私たちの窓口になっていたイントレピッド四人の会やべ平連の見解を求めてきた記者はひとりもいなかった」(『となりに脱走兵がいた時代』)

第五章　キャルを探して

1　封印を解く

山口和男教授に対して、許可を得られるまでは公開しないと言ったぼくは、その後も、映像を秘蔵し続けた。脱走兵たちもカーター政権の時代に、脱走の罪は恩赦になったというし、そろそろ映像を公開してもいいかなという気になっていった。ただし、山口和男は亡くなっていて、許可を得るすべもなくなってしまった。

たまたま龍谷大学の学生が運営している「町家シネマ」で古い伏見の映像を探しているので、なにかフィルムはないですかと、松浦《まつうら》さと子教授から尋ねられ、脱走兵の映像ならありますよと答えたのがきっかけで、二〇一五年の一月に京都の伏見にある民家で小さな上映会をすることになった。たまたまベトナム戦争終了四〇周年の節目の年にもあたっていた。撮影してから四七年経っていた。

広報のビラを頼まれたぼくは

「メモ類は残さないようにいわれたが、後日のために一六ミリ撮影機で、彼の様子を、場所を特定できないように撮影し、封印した。その封印を解く」と書いた。

知り合いで、毎日放送の津村健夫《つむらたけお》ディレクターに話したところ、上映するところを撮影したいというので、どうぞ来て下さいと答えた。

雪がちらつく寒い日だったが、上映する一月一五日、民家は学生や近くに住む人たち三〇人が集まった。

学生たちは、もちろんベトナム戦争については、ほとんど知らないと言っていい。映像を見せながら、あの時代の雰囲気をなんとか伝えようと説明した。

上映が終わったあと、学生を中心に質疑や討論があった。「頼まれたら、脱走兵をかくまうか」という問いに、ある女子学生は「イケメンだから、家に泊めてもいいかな。友達と協力して」と答えた。映像で見るだけでは脱走兵の緊張はあまり伝わらず、「説明がないと、普通のホームステイみたい」という声もあった。ベトナム戦争をきちんと伝えない限り、実感を伝えるのは難しいと思った。

ぼくは、韓国が五万人の兵隊をベトナムに送り、五千人が戦死したこと。日本も自衛隊を送るようアメリカからプレッシャーをかけられたけれど、憲法九条があり、集団的自衛権が認められなかったから、出兵しなかったことを話した。内閣が集団的自衛権を認めた今後は、どうなるかわからない。

「君も脱走する?」と女子学生に問われた男子学生は「ぼくは脱走する勇気がない」と答えた。

2　キャルはどこにいるのか

津村ディレクターはこの四七年前の脱走兵の映像を使って、テレビ・ドキュメンタリーを作りたいと言ってきた。だが、キャルは今、どこで、どうしているのだろう。生きているのだろうか。カナダの話をしていたから、カナダで詩人にでもなっているかな。一九四八年生まれだから、生きていれば六六歳くらいのはずだ。脱走兵であったことを隠して、穏やかな生活をしているかもしれない。だとすれば、映像を公開して、キャルの生活に悪い影響を与えることはないだろうか。

インターネットでキャルの姓名を打ち込んで検索してみた。スペルを変えたりして探しているうちにそれらしい三人の人物が浮かんできた。カナダ、カリフォルニア、ネバダなどに、同性同名の人がいた。

津村ディレクターもアメリカの知人を通して調べてくれた。その結果、カリフォルニアのサンタクルーズに住むキャリコートという人物がキャル本人らしいということになった。

住所もわかったので、とにかくぼくが手紙を書いてみることにした。下手な英文でも、意志が通ずればいいだろう。四月三日に書き、投函した。

「親愛なるキャルへ
わたしは日本人で、Koyama Osahitoといいます。わたしを覚えていますか？　四八年前、あなたは京都のわたしの家に泊まりました。

わたしはときどきあなたのことを思い出します。その後、どのように過ごしてきたのですか？　わたしは一三年前に会社を退職しました。二人の子どもと二人の孫がいます。あなたが家に来たのは一九六八年三月です。あなたは若かった。

わたしは今、七三歳です。もし機会があれば、あなたに会って、二人のこれまでの人生について語りたいと思っています。

わたしの母親を覚えていますか？　母はあなたとちょっとしたお芝居を演じ、あなたは彼女に詩を送りました。母はその詩を読んでとても喜びました。もう亡くなって一六年になります。あなたの人生は、厳しかったのではないかと想像しています。わたしはときどきあなたを撮ったフィルムを見ることがあります。あなたの住所は知り合いの協力で見つけました。

わたしの住所は以下のとおりです。お返事を待っています。

あなたの友人、コヤマより」

3　キャルからの手紙

手紙を出して高校生がラブレターの返事を待つような気持ちでいたが、一か月以上返事がなかった。もうだめかなと思っていたところ、五月一七日、キャルから手紙が来た。読まないうちから、返事が来ただけで嬉しかった。とにかくキャルは生きていた。

日付は四月二四日である。封筒にはKoyama Osahito-sanと、さん付けしてある。便せんで四頁、ぎっしり書いてあった。ポイントは以下のとおり。

「親愛なる友よ、ずっと昔の、ずっと遠くの友よ！

ずっと昔に、ぼくたちが一緒にいたときのことを思い起こすのは難しい。君から手紙をもらうなんて、なんという驚きだろう、そしてまた大きな喜びでもあるのだ。

当時、わたしはあなたの家で祝福された。でも、極度の恐怖と不安のために、君と君の家族がぼくに手を伸ばしてくれたことを正しく理解することができなかった。

今になって君と君の家族や友人が、ぼくを暖かく迎え入れて、特別扱いしてくれたことがわかる。

それから沢山の時間が過ぎた。ぼくは長い間、実に多くのトラブルに出会い、不幸だった。しかしながら！　ぼくは神様の存在に気づいたのだ！」

キャルの手紙は以下、神様のことを延々と書いている。神が我々を愛してくれていて、賢明であることを説く。ぼくが手紙を書いたのは神の思し召しであるようだ。

「君が手紙を書いたことは、神様の君への愛に気づくように、神が期待し、君がそれに影響されたからだ。君からもっと手紙が欲しい。四八年前、ぼくたちが一緒にいた京都のことを君が思いださせてくれた。ぼくは自分の心を探ってみた—そこには、美しさと清らかな雰囲気があり、それは、ぼくにとっていまなお新鮮だ。君のお母さんが亡くなったと聞いて、悲しかった。友よ、ぼくはコンピューターを持っていない。だからインターネットでアクセスすることはできない。そのことはぼくには問題ではない。手紙を書くのは好きだし、いつもそうしている。君からの返事を待っている。祝福がありますように。君の友より」

そして最後にローマ字で「サヨナラ」と書いてあった。

内容の半分くらいが神様の話だ。不幸だったが、神様に出会って幸せになったと書いている。

どんな不幸があったのだろうか。手紙には具体的なことは書いてなかった。

手紙の中でひとつ問題があった。彼は住所が変わり、前の住所には住んでいないこと、そのために返事が遅れたことも書いてあった。そして、手紙は私書箱宛にしてくれとのことだ。理由はわからない。ぼくを警戒しているのだろうか。「多くのトラブルに会い、不幸だった」と言うが、実際どんなことがあったのだろう。まだわからないことが多い。ぼくはもう一度、手紙を書くことにした。

返事が来た以上、どうしてもキャルに会いたいと思った。アメリカに行こう。時期は六月にし、毎日放送も同行取材することになった。

二回目の手紙では、返事が来て嬉しかったと素直に書いた。君は酒が好きだった、我が家でネコと遊んだことを覚えているか。その映像があり、それを君に見せて昔の記憶を呼び起こしたい。君との出会いはわが青春の大切な想い出だ。六月に渡米して、サンタクルーズに行く、是非会いたい。住所を教えて欲しい、といった内容である。ネコと遊んでいる一九歳のキャルの写真を同封した。

そして六月六日、キャルから返事が来た。電話番号が書いてある。ただし、国際電話は受けられないとのことだった。自分の家がないこと、友達の家に住ませてもらっているので、家に招くことはできない。どこかで一緒に食事をしたい、という内容だ。電話番号があれば、会えることは間違いない。

「六月一六日にサンタクルーズに会いに行く」

三回目の手紙にそう書いた。

4　キャルとの電話

六月一五日、ぼくはサンフランシスコ空港に着いた。空港で、毎日放送の津村ディレクター、草薙晃久《くさなぎてるひさ》カメラマンと合流した。ロスアンゼルスに長く住んでいる藤本庸子《ふじもとようこ》コーディネーターも同行してくれることになった。

キャルが住むサンタクルーズは、サンフランシスコから一〇〇キロ余り南にある街だ。レンタカーを借りてすぐサンタクルーズに向かった。

サンタクルーズは人口六万人くらい。海に面した綺麗な街だ。六月なのに空気は涼しく、過ごしやすいところのようだ。海岸では多勢の若い男女がサーフィンをしている。ときたま大きい波が来ると、みんなボードに乗っかる。ホテルに着いてすぐ、キャルの手紙に書いてあった番号に電話をかけた。数回コールしただけで、相手が出た。

「キャリコート?」と呼びかけたら、いぶかしそうな、元気のない低い声で「そうだ」との返事があった。「小山です」と名乗ると、「おー、コヤマさん」と、少し明るい声に変わった。「元気ですか」と聞くと、キャルは「アンラッキーなことに、病気だ」と言う。「外出できない。二日前は高熱が出た。医者からは安静にしろといわれている」とキャル。

会いたくないのか、あるいはよほど体調が悪いのか。でも日程上、二日しかサンタクルーズにいられない。「明日、会えないか」と尋ねたが、「難しい」と答える。なんとかして会いたいと繰り返したが、「この家は友達の家で、自分のものでないから、自由に使えない。数日して元気になったら、ディナーでも一緒にしたいのだが」という答えだった。交渉には自信があるという藤本コーディネーターに電話を変わって、説得してもらうことにした。

藤本はスケジュールの厳しさを強調し、なんとか時間を作るよう説得し、猛烈な勢いでしゃべり続けた。

「一緒に食事をして、サンタクルーズの街を案内して欲しい。食事代はこちらが持ちたい」と藤本は説得する。「いや、前に世話になってるから、今回は当方で」といったやりとりが交わされた。藤本が「レンタカーを借りているので、街を案内して欲しい」というと、キャルは前向きな態度を示し始めた。ヨーコさんは「教会や街や海岸を案内してほしい。その代わり、食事代はこちらが持つ」といった交渉が続いた。

結局、明日の朝九時頃に、可能かどうか、再度電話をくれるということになった。藤本の分析によると、病気はそれほど重くはなく、食事代や車代などの経済的負担がネックになっているはずだという。車があると言うと、明るい声になったと、藤本は言う。もう一度、ぼくが電話に出て、昔の話をした。キャルも新宿の話や京都のこと、スキヤキが美味しかった、そして酒をやめた話などをした。ぼくは「明日、是非会いたい」と締めくくった。四〇数年ぶりに声を聞いて、ぼくは興奮していた。

さて、明日はどうなるか、大丈夫だと思うが、まだわからない。不安を抱えながら、時差ぼけの寝苦しい一夜を過ごした。

年表３

1968年８月　キャルの父親が来て、キャルをアメリカに連れ戻す。
９月　脱走兵のアーネット、脱走生活に耐えられず、帰国し、陸軍刑務所に収容される。
９月　脱走兵、メイヤーズ、ベ平連へ。
10月　脱走兵のふりをしたスパイのジョンソン、ベ平連に入る。
11月　メイヤーズはスパイのジョンソンと北海道にいたが、ジョンソンは姿をくらまし、メイヤーズは逮捕される。
1969年２月　Ｂ52爆撃機撤去を要求して、沖縄でゼネスト。
２月　日本の新聞、「“ベ平連”地下組織にメス」、「これが米兵の脱出ルート」などと大きく報道。
６月　南ベトナム臨時革命政府樹立。
10月　アメリカの79大学学長、南ベトナムからの撤兵を求める共同声明を発表。
1973年１月　アメリカと北ベトナム、和平協定調印。
３月　米軍、ベトナムから撤退完了。
1974年１月　ベ平連解散。
1975年４月　解放戦線、サイゴンに無血入城。ベトナム戦争終わる。
1977年１月　米カーター大統領就任。徴兵忌避者に対する全面恩赦を発表。
３月　米国防総省、脱走兵に対しても恩赦の機会を与えると発表。

第六章　再会

1　「オハヨー」と日本語で

翌六月一六日朝、電話を待った。約束どおり九時に電話がかかってきた。出られるとのこと、よかった！　これで確実に会える。

街のガソリンスタンドの前で一〇時に会うことにする。会う約束を取りつけるのに精一杯で、テレビ撮影の話をする余裕はなかった。青いジーンズ姿で来るという。黙って撮影するのはいやなので、テレビクルーの撮影は、キャルに会って、承諾を得てから始めることにする。ただし、ぼくは携帯スマートフォンで撮影することにした。三〇分ばかり早めにと思って、給油所の近くに来たら、ジーンズをはいた年配の男性がすでに来ているのが見えた。少し腰が曲がっているが、背が高い。キャルだ！

車を降りると、彼も気がついて、こちらに近づいてくる。

キャルは日本語で「オハヨー！」と声をかけてきた。ぼくも日本語で「おはよう！」と答える。

キャル　「ぼくの友達」

小山　「長く会わなかった」

ぼくたちは抱き合った。細い身体だった。キャルの頭は短く刈り混まれ、ほとんど白髪だ。

47年ぶりの再会、手を差し伸べるキャル（2015.6.16）

映画「バック・トゥ・ザ・フューチャー」の博士、ドクに似ているなと思った。

キャル　「四八年ぶりだ」

小山　「そうだね」

キャル　「ようこそ、コヤマさん」

小山　「また会えて嬉しいよ」

キャル　「ぼくも会えて嬉しい。ぼくを助けてくれてありがとう。君にプレゼントがある。君の記憶を書き留めておけばいい」

そう言って。キャルは一冊のノートをくれた。

小山　「ありがとう」

キャル　「どういたしまして。でも、君についてはよく覚えていない。すっかり変わってしまったから。ぼくも変わっただろう？」

小山　「うん、でも、君の眼は変わっていない。顔はだいぶん変わったけれど」

キャル　「腰も曲がったしね。でも会えてよかった。ぼくが大変な状態にあったとき、君の家族、お母さんはぼくを助け、よくしてくれた」

小山　「母はよく君のことを話していたよ」

キャル　「みなさんはいい想い出を持っていてくれているかな。ぼくは君についていい想い出を持っている」

小山 「今、いくつだっけ？」

キャル 「六八歳だ。六月一四日、二日前に六八歳になったばかりだ」

小山 「あのとき、君は一九歳だった」

キャル 「そうだ。とても若くて、びくびくしていた。そして未来に希望がなかった。日々の新しい冒険があっただけだ。でも神様は素敵だ。君と会い、かつてのことを思いだす機会を与えてくれた。神様のおかげだ。神はぼくたちを愛している。すべてのものは神様が造ったのだから」

小山 「当時の君はかなりストレスを抱えていたのだね」

キャル 「そうだ。ひどいトラブルを抱えていた。病気だった。精神的に、感情的にね。君

著者とキャルのツーショット

も知ってるように、若かったぼくは、大酒を飲んだ」

小山　「君は酒が好きだったな」

キャル　「それは何かを味わいたかったからだ。自分自身から逃げたかったのだ。逃げようと努力したけど、無駄だった」

小山　「今は、元気そうだよ」

キャル　「ありがとう。今日、君に会えて光栄だ。君のことを想い出している。君の友情に感謝している。あの頃のことを想い出させてくれた。あの時、ぼくたちに起きたこと、かくまってくれた人たちのことを想い出すよ。素晴らしい神様のおかげだ。神様はぼくのように迷った人びとを救い、愛してくれるのだ」

小山　「とにかく会えてよかった。君に会うことを夢にまで見たんだよ」

キャル　「そうか。ぼくの人生は、時には幸福だったといえるが、でもぼくはそこから逃げようとしていた。馬鹿なことをしていた。でも、それは過去のことだ。今のぼくは新しい人間だ。何故なら、彼（と空を指す）がそうしてくれたからだ。今のぼくは自由な人間だ。今はもうアルコールは飲まないんだ」

小山　「もう飲んでないの？」

キャル　「ぼくにとってよくないからだ」

小山　「よく決意したね」

キャル　「そうだ。君が来てくれたことに感謝している。光栄に思っている。まったくの驚きだね。君とぼくが会ったとき、世界は戦争の中にあった。ぼくもベトナム戦争の最中にいた。それから四八年経った今でも、世界にはまだ戦争がある。違う場所で起きている」

小山　「それが問題なんだ」

キャル　「それは人間の心のせいだ。変わっていない。平和がないんだ。みんなが神様のところへ行くまでは平和にならない」

小山　「手紙で君は不幸な人生だったと書いてたね」

キャル　「うん。ぼくの人生のほとんどは厳しいものだった。何故なら、愛を知らなかったからだ。人びとの子どもへの愛もね。ぼくは不幸な子どもだった。すべてが狂っていた。誰もぼくに、いい人間になる方法を教えてくれなかった。でも神様は忍耐強い。六七歳になって、ぼくは小学校の一年生さ」

小山　「でも、ぼくは君を尊敬している。君は暴力を拒否したんだ、戦争という大きな暴力を。世界の平和を求める、とても大切な行為を君はしたと思う。だから君を尊敬しているんだ」

キャル　「そうだ。イエスだけが平和を知っている。だからぼくは会う人、みんなに言っているんだ。神様は常に身近にいて、親切で、忍耐強いとね」

キャルは神様のことを熱っぽく話し、このあたり二人の対話は噛み合っていない。ぼくは持ってきた自撮り棒で、キャルとツーショットを撮った。

小山　「一緒に写真を撮ろう。君は変わったな」とぼくはキャルの頭を撫でながら言った。

キャル　「そう、髪が減って皺が増えた、ハハハ」「君も少し変わったよ」

小山　「本当にぼくを覚えているのかい？」

キャル　「もちろんさ。でも、驚くよね、あんなにたくさんの人に会ったのに覚えている」(自分の鼻を指して)「この鼻ね、神様がぼくの身体にパーツをつけながら訊いたんだ。『さぁノーズだ。どんなノーズ(鼻)がいい？』って。でも、ぼくはローズ(薔薇)だと思って、『赤くて大きいのがいい』と言った。それがこれだよ(と自分の鼻を指す)。ハハハ」

キャルは昔と同じように冗談が好きだった。ぼくたちは一緒に笑った。

2　キャルがたどった軌跡

聞きたいことが沢山あった。どうしてスウェーデンからアメリカに戻ったのか。アメリカでの尋問はどんなふうだったのか。その後のキャルの生活はどのようなものだったのか。キャルに昔の記憶を取り戻してもらうために、映像を見せたかった。静かな場所がいいので、教会はどうだろと言うと、彼が通っている教会が近くにあるからそこに行こうということになった。テレビクルーの撮影もキャルはあっさり同意してくれた。

「エルム・ストリート・ミッション」という教会で、門が閉まっていたが、キャルが電話すると、マイク・クレーンという牧師が門を開けてくれた。ホームレスのために、食事をふるまっている。厨房も広く、きちんと調理用具が整理されていた。中庭で食事ができるようになっている。朝、昼、夕と、合せて週に八回、食事をふるまう。キャルもそれを手伝っているという。気候が温暖なサンタクルーズには、全国からホームレスがやってきて、当局もホームレスのための支援、食事サービスなどに力を入れている。もっとも、ホームレスに手厚いという噂で全国からホームレスが集まり、麻薬患者がいたりして、少し規制しだしたということだ。マイク牧師の名刺には「ホームレスや貧しい人を助けます」と書いてある。

キャルは娘の結婚式の写真を見せてくれた。彼に子どもがいることが初めてわかった。娘が三人、孫は九人いると聞いて、びっくりした。なんとなく孤独なイメージを持っていたから、家族がいることを知って少しほっとした。

ぼくは、一九六八年に撮影した白黒の映像をタブレット端末に取り込んでおいたものを見せた。酒を飲んだり、ネコと戯れる一九歳の自分の姿を見て、キャルは驚いていた。

キャル　「おー、食べてる。すごいね」
小山　「これ、ぼくの家で撮ったんだよ」
キャル　「これ、ぼくだね。わおー、若いねえ。あのときは死ぬほど怖かったんだ」
(母がキャルの皿にすき焼きを入れてあげるシーンを見て)
キャル　「これはスキヤキ？」
小山　「そうだよ」
キャル　「ああ、覚えている。親切にフォークを渡してくれたんだ。君のお母さんのことはよく覚えている。だけど、このネコのことは記憶にないな」

その後キャルはこれまでのことを振り返って話をした。

「脱走兵たちの名前を覚えている。アーネット、クメッツ、シャピロ、ホイットモア、韓国人のキムだ。ぼくたちはみんな、不安と戸惑いの中にいた。ぼく自身も、その日その日を生きてはいたが、どんな未来がやってくるのか、全くわからなかった。

ぼくたちは船に乗って沖に出て、海の上でソ連船に合流したんだ。とても危険だった。真っ暗で、ひどい天候で、揺れがひどくて。ぼくは水兵だったから、船酔いはしなかったけど、ソ連の船に飛び移るのはとても危険だったよ。船がこう揺れ動いていたからね。

それからソ連に行ったのだが、ソ連では、なんとなく自分がいたいと望まない場所にいるという感じがした。

もともと東京のソ連大使館に行ったのが、ソ連との最初の接触で、彼らにぼくが置かれている状況から救ってくれるよう頼んだ。でも大使館に行く勇気を出すのに、二、三日かかったと思う。ぼくはパスポートもなかった。

ソ連ではどんな場所でも、とても親切に扱われた。ソ連のいろんなところにも連れていってもらった。例えば、グルジア地方にも行ったし、レニングラードにも行った。美しい街だった。革命前にはツァーの宮殿だったペテルブルグの美術館にも行った。宝物や美しいものがいっぱいあったのを覚えている。モスクワは灰色で、うるさく、あまりハッピーな場所でなかった。

どこでも最高のもてなしを受けた。ありったけのアルコールがいつもあった。ぼくたちみんな、高級ホテルに泊まり、特別待遇を受けた。

でも、まわりは政府関係者ばかりで、普通の人とは隔離されていた。軍のことを質問されることもなかった。ぼくたちが彼らに有益な情報を持っていないことは明らかだったから。ぼくたちの中に軍の高い地位にいたものはおらず、兵卒ばかりだった」

「モスクワで記者会見をしたとき、母国に反逆している感じはしましたか」と津村ディレクターが聞いた

「もちろんです。それは、ぼくにとって、とてもやりにくいことだった。ただ、ぼくはその内容を覚えていない。ソ連にいたときのほとんどは、素面じゃなかった。ずーとアルコールの影響を受けていました。だから、ぼくの記憶はあいまいで、細かいことは定かではないのです」

3　スウェーデンでの恋

一九六八年五月下旬、ソ連での生活を経て、キャルたち六人はスウェーデンのストックホル

ムに移動した。

スウェーデンは一九六〇年当時、アルジェリア戦争から脱走したフランスの青年たちの居場所だった。脱走兵の扱いには経験がある。パルメ首相はアメリカの北爆に反対する声明を出していて、ベトナム戦争に介入するアメリカに批判的だった。

ドイツの週刊誌『シュピーゲル』によると、六七年一月に二二歳の脱走兵が到着し、その年のクリスマスには五人になり、六八年末には一六〇人の脱走兵がいた。


「ベトナムでベトコンと戦うのではなく、彼らはスウェーデンで生きることを求めて、自分たちの国と戦っている。彼らは四つの大陸から脱走した。

毎週のように、彼らはオーストリアから、フランクフルトから、ストックホルムのマインに現れる。まれにニューヨークやモントリオールやモスクワから飛行機で来ることもある。もし、彼らが脱走兵だと宣言したら、援助する『ホ・ホ・ホ・スウェーデン』が受け入れるか、もしくは不適切な書類のために警察が受け入れる。しかし留置所の食事や部屋を見ると彼らが囚人扱いされていることがわかる。

さらにストックホルムの脱走兵担当弁護士が『外国人委員会』から、まず一時的滞在許可を取ってくれる。

彼らのスウェーデンでの最初の仕事は、通訳、芸能人、歯医者、陶芸家、ディスクジョッキー、港湾労働、皿洗いなどであった。

その後、スウェーデン市民になりたいと思えばなれるが、誰も申請しようとしない」（『シュピーゲル』誌　六八年一〇月一四日）

やっと中立国に行けたのだが、ここはキャルにとって居心地がよくなかった。ストックホルムでは監視されていて、行く場所も制限され、しばらくは市内から出ることは許されなかった。アメリカでの生活とまったく違うスウェーデンの生活に慣れなかったと、キャルは言う。

「スウェーデンで嫌なものは魚だね。日本とは違う。酸っぱいニシンなんて、ひどいものだった」（キャル）

『アサヒグラフ』の六八年八月二三日号に、ストックホルムにいる脱走兵の写真が掲載されている。

人物が移っている写真二七枚のうち、キャルは一枚だけ。しかも遠くにいて、ピントもぼけているので、よくわからないが、キャルの顔はふっくらとしていて、のんびりくつろいでいるように見える。反戦活動をしている形跡はない。
キャリコートに触れている部分はごくわずかである。

「南ベトナムの水域で軍艦に乗込んでいたフィリップ・キャリコートは、同じ船は船だが、スウェーデンの内海を走る平和な船の水夫になろうとしている」（『アサヒグラフ』六八年八月二三日）

写真を見るとキャルは他の脱走兵たちとは、少し距離を置いた印象に見える。例えば一緒に東京に行ったマーク・シャピロは「アメリカ脱走兵委員会」のメンバーの一員として働きながら、アメリカの大学の通信教育を受け、一年か二年後にはスウェーデンの大学に入ろうとしているのだが、七月四日の独立記念日には、アメリカ大使館に乱入して「ベトナム戦争をやめろ」と叫んだ。あげくのはて、スウェーデンの警察に逮捕されてしまった、と書かれている。

スウェーデンの脱走兵は、その後も増え、最も多い時で、七五〇人のアメリカ人脱走兵および徴兵忌避者がいたといわれる。彼らはベトナム戦争反対の態度を確認されたのち「人道的亡命」として滞在許可を受けとる。そして、スウェーデン政府から、住居費とは別に、週一二〇クローネ（八四〇〇円）の社会保障を与えられ、三ヵ月間、スウェーデン語を教える学校で一日六時間、無料で勉強することができた。

ストックホルムに着いてまもなく、キャルはある女性とめぐり逢った。

「彼女の名前はアンナ・レーナ・ネスルンド。若くて美しいスウェーデン女性で、ぼくを愛してくれた。ぼくは安らぎを得たんだ」とキャル。

もっと詳しく話してほしいというとキャルは次のように言った。

「一九六八年、それは美しい夏だった。街角で反戦を訴えるビラを配っている若い女性を見かけた。それがアンナ・レーナだった。彼女は十七歳だった。ぼくはスウェーデン政府が用意してくれた住居に行く気がしなくなっていた。スウェーデン人は日本人と違っていて、理由は思い出せないが、指定された家の夫婦とは、うまくいかなかった。そんなぼくに、アンナ・レーナは泊まるところを提供してくれた。家族と住んでいた共同住宅の物置部屋にぼくを寝かせてくれたんだ。幸いにも住民の誰にも見つからなかった。朝になってアンナ・レーナの両親が仕事に出て行った後、彼女はぼくを部屋に入れ、朝食を作ってくれ、風呂にも入れてくれた」

キャルとアンナ・レーナは愛し合うようになり、アンナ・レーナの姉が持っていたアパートを借りて一緒に暮らし始めた。

そこへ北米からキャルの父親が来た。五月にスウェーデンに移って三ケ月ほど経っていたから、八月頃かな、とキャルは言う。父親は当時、アメリカからカナダに移って小さな教会と家を持ち、母と暮らしていたが、キャルを連れ戻しにやって来たのだ。父親はキャルをアメリカ大使館に連れて行き、パスポートを持たないキャルにアメリカ行き片道チケットを渡した。

スウェーデンで出会ったアンナ・レーナ

でも、恋人もできたのに、どうしてアメリカに帰ったのか。スウェーデンに留まろうとは思わなかったのか。

キャルは少し苦しそうな表情を見せ、次のように答えた。

「説明するのが、とても難しいのだが、ぼくは子どものときから父親を怖い存在だと思うように条件づけられていた。こわくておどおどした子どもだった。とにかくぼくは父親を怒らせないようにしていた。もし彼を怒らせたら、暴力的になって、子どものぼくを傷つけたから。そういうふうに条件づけられていた。

父が来て、戻るように言われたとき、まだ父のことが怖くて、父の言うとおりにした。スウェーデンで父がぼくを肉体的に傷つけるとは思わなかったけれど、抵抗できなかった。説明は難しいが、これが条件づけというものだと思う」（キャル）

条件づけとは、パブロフの犬の実験で知られる条件反射などで知られる、ある条件のもとで行動が決まることをいうようだ。当時のキャルは父親に従うように心理的にコントロールされていたのだろう。一九歳にしては、自立精神に乏しいと言える。

恋人、アンナ・レーナの両親にも受け入れてもらい、別荘で共に過ごしたり、仕事を斡旋してもらったりもしていたが、キャルはホームシックなっていたようだ。

共にスウェーデンに行ったアーネットも「ベトナム戦争に対する私の信念は変わらない。だが、スウェーデン政府がくれる週一〇ドルでは生活していけなかった」と語り、九月にアメリカに帰って逮捕されている。

アメリカに帰ったキャルには厳しい尋問が待っていた。

4　アメリカでの尋問

「飛行機でニューヨークに入ったとき、ぼく以外の人は全員降りて、ぼくだけが座席に残って、米国連邦保安官がぼくに手錠をして、機外に出た。

彼らはぼくを肉体的に傷つけることはしなかったが、脅された。怖いことを言われた。体の中に何か隠してないか。検査するぞとか。

そのとき、CIAもいたと思うけど、少なくとも二つのグループの人がいて、最初のグループからは、たくさんの質問、とくにソ連のことについて聞かれた。二つ目のグループの人たちは、私が軍から脱走したことを証明する何かを言わせようとしていた。

なぜなら「脱走」と「無許可離隊」は違うからだ。「無許可離隊」はずっと軽い罪なんだ。ぼくは正直、軍に戻る気はなかったから、「脱走」を認めた。結局、彼らは、「脱走」が証明できたとして、ぼくを刑務所に入れた」（キャル）

米軍では、「無許可離隊」は一時的に軍を離れることで、三日以内は一ケ月の重労働、三〇日を越えると一年の重労働という決まりになっている。

「脱走」は、永久に帰らない意図を持って軍を離れた場合で、五年以下の重労働と不名誉除隊とされ、この場合、市民権の制限を受ける。選挙権をとりあげられ、運転免許もおりず、クレジット・カードも発行されない。アメリカ社会で生きていくのは難しい条件だ。


「ぼくは大きな古い刑務所に入れられた。それはフィラデルフィアの刑務所だった。第二次世界大戦のときにドイツ人を入れていたところだ。壁に割れたガラスがあったのを覚えている。米国に戻ってきて、私はすぐ収監されて、同じ脱走兵のアーネットは五年間、刑務所にいたらしいけれど、ぼくは最終的に刑務所から釈放されて、フィラデルフィアにある大きな海軍基地の特別施設に入れられた。その基地から出ることは許されなかったけれど、基地の中は自由に動くことができた。

最初は房に入れられた。小さな窓が開いていて、看守がのぞけるようなところだったが、しばらくして通常の房に移された。海兵隊だったと思うが、若い軍人がやってきて、刑務所内を見てまわっていた。小さなのぞき穴から『お前はそう悪くなさそうだな。なぜ収容されたんだ？』と聞いたりした。

少しずつ自由が与えられていった。どれだけの期間、収容されていたのかは覚えてないが、囚人や看守たちが悪いことがしていたことを覚えている。ぼくは、酷い言葉を吐かれたことはあったけれど、誰もぼくには触れなかったし、性的いやがらせをしなかったし、傷つけもしなかった」（キャル）

キャルは、ほんとに日本での滞在の様子を、米軍に話したのだろうか。直裁に聞いてみた。以下、一問一答である。

――アメリカでの尋問の過程で、日本で、どこの誰の家にいたのかをしゃべったのか？――

キャル　「正直なところ、詳しいことは覚えていない。誰と、どこに、といった質問をされたのは確かだ」

――もししゃべったことが他の人に罰を与えることになったら？――

キャル　「ぼくが望んでいるのは、ぼくに親切にしてくれた人たちを傷つけたくないということだ。もしぼくが誰かを傷つけたとしたら、心から謝りたいと思う。

しかし、そのときの状況を察してほしい。何が正しくて、何が間違っているかは分かっていたけれど、ぼくは困難な状況にいた。とても戸惑っていたんだ。

ぼくに親切にしてくれた人たちを傷つけようとは思っていなかった。もし、みなさんを傷つけたのなら、許して下さいと言いたい」

キャルは記憶がはっきりしないということで、質問に正面から答えることを避けたが、事実上、すべてをしゃべったことを認める言葉だった。

アメリカに帰ることを決めた時点で、キャルは恐怖や父の説得などもあって、日本で自分がかくまってもらったところなど、すべてを話す気になっていたのだろう。ただし、自分が東京のソ連大使館に相談に行ったことなどは隠しているし、べ平連にそそのかされてふらっと脱走したかのように供述している。その方が罪が軽くなると思ったに違いない。

キャルに会う数日前、同じ脱走兵でアメリカに住むメイヤーズを毎日放送のクルーが撮影した。その映像によると、メイヤーズへの尋問はキャルに対してより厳しかったようだ。

メイヤーズは、六八年秋、キャルたちと同じルートで根室から脱走しようとしたが、乗船する前に逮捕されてしまった。キャルが逃走ルートを当局に供述したあと、米軍は、脱走兵のふりをしたスパイを送り込み、無線で連絡をとりながら、逃走ルートの壊滅を狙った。

メイヤーズは北海道で逮捕された直後こそ、神戸牛のステーキを食べさせてもらう待遇を受けたが、座間の基地から横須賀の重罪者用の独房に放り込まれ、殴られた。メイヤーズは語る。

「わたしがいた施設でも、秘密の刑務所があるということは気づかない人がいたけども、そこで尋問が行われていた。わたしは九か月くらいいたと思う。

尋問を受けている間に拷問で死んだ場合、死体は家に送らない。送ると検死をして拷問したと分かるので、海に捨てたり、他の方法で処理して、家族に対しては行方不明兵（ＭＩＡ＝Missing In Action）として伝えるんだ。実際には刑務所で殺害されたのに、戦争に反対することをしたということで。

当時のことを思い起こすと、二つの拷問の方法があった。手動の発電機があった。水攻めのことは知らないけれども、電気は使っていた。

刑務所に議会の調査が入るときもあるが、そのときはゲームをさせたり、果物やジュースが支給される。議員たちがいなくなると、独房に裸で残される。

もし弱い人だったら、あきらめて情報をしゃべってしまう。人によっては、他人より精神的に耐え切れるレベルが低かったりするよね」（メイヤーズ）

「皮肉なことなんだけど、世界に対して軍の刑務所、強制移動、拷問について知らせたいと思ったことがあった。それらは四〇数年前のことだ。その秘密を口外しませんという書類にサインさせられた。もし秘密をしゃべったり、書いたりしたら、連邦刑務所に二一年間ぶちこむぞと脅された。

政府に対して楯突いているようなわたしが、どうやって仕事につけるのでしょうか」（同上）

メイヤーズは脱走兵、投獄という過去があることから、仕事を探すのに苦労したと言う。

一方、キャルは「脱走のことは人に聞かれると話すけれど、自分から話をすることはほとんどない。だから自分の生活では、脱走は大きな問題になっていない」と言う。

脱走しようとして捕まったメイヤーズと、脱走したあと、自分から出頭したキャルとでは、扱いに差があったのだろうか。


一緒に脱走した五人の行方をキャルに聞いたが、今は交流はないそうで、次のように語った。

「シャピロはカナダへ行き、クメッツは最後に聞いたところでは、精神疾患にかかった。アーネットはアメリカに戻って、刑務所に入ったそうだ」

国に反逆した脱走兵にとって、アメリカで生きることは楽なことではないようだ。

『アサヒグラフ』は次のように書いている。

「困難は安住の地スウェーデンにもある。決意した当初ははりつめていた気持ちも、異国でいつ終わるとも知れぬ生活を送るうちに孤独は望郷の苦しみにも襲われる。脱走兵が特別に選び抜かれた志操堅固な男たちではなく、異常な戦争にはじき出された当たり前の人間たちであってみれば、当たり前の人間社会に伴うありとあらゆるマイナス面はストックホルムにももちこまれる……有為の青年たちが、殺人と牢獄と亡命の、このたった三つの間での選択しか許されぬような、このベトナム戦争が一刻も早く終わらぬものか」(『アサヒグラフ』六八年八月二三日)

5　スウェーデンで銀行強盗

キャルがフィラデルフィアの海軍基地に閉じ込められていたとき、スウェーデンからアンナ・レーナが訪ねて来た。

キャルはアーネットのように、五年も刑務所に入るのは絶対いやだと思い、脱出する機会を探した。

当時、パイロットが北ベトナムに捕まる事件や、ニクソンのウオーター・ゲート事件があったりして、キャルの事件はマイナー・イッシュー(小さな問題)になってしまい、注目されずにすんだ。

なお、キャルとともに日本での滞在や脱走経過を米軍に供述したコーツという脱走兵は、軍法会議で一〇〇ドルの罰金と「不適合による名誉除隊」という脱走兵としては珍しく軽い処分を受けている。脱走経路を話すことで、寛大な措置をとるという約束があったのかもしれない。キャルも基地からは出られなかったが、基地内では自由に行動することができた。基地に知り合いができ、うまい具合に偽の許可証を作ってくれ、そのカードで、基地から外に出ることができた。

基地から出たキャルはアンナ・レーナとともにカナダに行った。カナダには両親が住んでいたので、そこにしばらく滞在したあと、反戦運動をしている人の世話で、何軒かの家に泊めてもらった、この間、キャルとアンナ・レーナは結婚した。彼女は十八歳になり、結婚できる年齢だった。二人はスウェーデンで暮らすことに決めた。

しかしキャルはパスポートも持っていないはずだ。旅券もなく、どうやってチケットを買い、スウェーデンに行けたのか。

キャルによると、それは奇跡だった。カナダのモントリオール空港の近くに住むアンナ・レーナの知り合いがチケットを買ってくれて、こっそりキャルに手渡した。その航空券の費用はアンナ・レーナの親が出してくれた。まだ空港の規制が甘い時代だったと、キャルはいう。スウェーデンでは、二人が結婚していることで、住むことに問題はなかった。

それにしてもアンナ・レーナの行動力は凄い。彼女のおかげで、キャルは二度目の脱走を敢行し、市民生活に戻ることができた。スウェーデンではアンナ・レーナの父で建設関係のエンジニアであるエリック・ネスルンド（当時五三歳）と母イングリッド（当時五〇歳）がキャルを温かく迎えてくれた。

キャルはビルの建設作業、シャベルを使った力仕事、病院の掃除などの臨時仕事をしていた。翌六九年には二人の間に娘、エレーヌが生まれた。だが、エレーヌの誕生をキャルは刑務所で聞かねばならなかった。

キャルの中でなにかが狂い出していた。キャルはスウェーデンで、銀行強盗をしてしまったのだ。キャルは語る。

「六九年のことだろうと思う。ぼくはＬＳＤを経験した。そしてとんでもないことをしてしまった。

当時、ぼくらはストックホルムの郊外の家で、彼女の両親と一緒に暮らしていた。彼女の父親はピストルを持っていた。実際には使えないピストルだったのだが、ぼくはそれを持って銀行強盗をやってしまった。とても古い代物で、銃弾は空っぽで、人に危害を与えるものではなかったのだが。

ぼくは二年の刑を宣告されて、スウェーデンの刑務所に実際には一年いた。刑務所でよかったのはスウェーデン語を習得できたことだな。流暢にスウェーデン語を話せるようになった。アンナ・レーナはずっとぼくを愛してくれていた。いろんなことに耐えてくれた。ぼくの悪い振る舞いにも。ぼくは悪い人間ではないが、傷つき、壊れていた。その自分を治すことができないでいた。

麻薬を始めて使ったのは、海軍の時だったと思う。それまでは酒を飲んでいた。軍では麻薬をやっているのが多かった。ぼくは精神的にも、心理的にも病んでいた。自己嫌悪になり、自分は役立たずの欠陥人間だと信じこんでいた。ひどい状態だった。ぼくは自分を見失っていた」（キャル）

キャルの銀行強盗の話は、小中陽太郎が、キャルと一緒に脱走したテリー・ホイットモアから聞き、書いている。

「銀行強盗を働いたキャリコートに、テリーはその十分前に中央駅であった。
『おい、テリー、おれはこれから銀行強盗する』
『え、何だって』

『銀行だ』

テリーはもちろん冗談だと思った。『バイバイ』といって別れた。

翌日、新聞を開いて驚いた。彼は銀行に押し入り、あわてたために逃走の際、ガラスのドアに気づかずに、そこをつき抜けて、わずか十五歳の少女にとりおさえられた」(「ベトナム脱走兵の栄光と悲惨」〈月刊誌『文藝春秋』一九七三年七月号〉)

銀行強盗の前に友人に決行を宣言するとは、よほど錯乱していたのだろう。キャルはその日にテリーとあったことは覚えていない。

死への恐怖を柔らげるためか、麻薬使用が日常化する戦場。多くの米兵が麻薬から逃れられなかった。

ベトナム帰還兵の多くがＰＴＳＤ（心的外傷後ストレス障害）に苦しんでいるという。七八年に公開され、アカデミー賞の作品賞を得たマイケル・チミノ監督の『ディア・ハンター』も後遺症に苦しむベトナム帰還兵の姿を描いていた。


イラク戦争の帰還兵の三分の一がＰＴＳＤを病んでいるという報告もある。二〇一二年の米退役軍人省の調査によると、自殺を図る退役軍人は年間六〇〇〇人を越え、一〇年には毎日二

左は妻のアンナ・レーナ、右はキャル、真ん中が娘のエレーナ

二人にのぼるということだ。

キャルは、自分もPTSDだったと認めたが、その原因は、自分の生い立ちにもあったと言う。

「ぼくは子どものときからずっと暴力がある状態で育った。ぼくはいつも暴力を憎んでいた。父は何をしていいのかわからない人だった。彼ができるのは暴力と威嚇と怒りと拒絶だった。ぼくはこわくておどおどした子どもだった。その結果、ぼくは壊れて、自分がなれるもの以下の存在だと信じていたんだ。今は父を責める気はない。完全に彼のことは許している。彼も病気で傷ついていた。それを子どもに押しつけていた。一七歳の時に海軍に入った。それが一七歳の誕生日のプレゼントだったんだ」（キャル）

反発を感じても、力のあるものには抵抗できない性格だったのだろう。その不本意さを埋めるため、酒やドラックに走った。新妻の愛も、キャルの麻薬依存を癒すことはできなかった。赤ん坊のエレーヌを抱いてキャルとアンナ・レーナの三人で撮った写真がある。笑顔はなく、幸せな雰囲気は感じられない。キャルは痩せていて、目は虚ろに見える。

結局、キャルとアンナ・レーナは離婚することになった。麻薬患者との共同生活は難しい。アンナ・レーナが娘のエレーヌを引き取り、キャルは刑務所生活も含めて、スウェーデンに四年半滞在して、またアメリカに帰った。

6　帰国後の生活

再びアメリカに帰ったキャルは、仕事を探すが、安定した仕事はみつからない。道路工事の仕事をしたり、カジノでバーテンをやっていたこともあると言う。アメリカでまた結婚し、娘が二人できたが、子どもが小さい時にまた離婚してひとり暮らしになった。アメリカに孫が五人いて、スウェーデンにいる娘にも子どもが四人いるから、孫の数は九人になる。

なかなか精神的に立ち直れなかったようだ。コカインもマリファナもやり、アルコール中毒でもあった。ホームレスとして各地を転々とした。アメリカでも一〇回くらい投獄されたと言う。

キャルとサンタクルーズの街を歩いたとき、お金を乞う人に、キャルが話しかけた。「仕事はどうだい」と一ドル札を渡した。

「下を向いて歩く癖があるんだよ。なにか落ちてないかと思ってね。一〇〇ドル札を拾ったこともあるよ」とキャルは笑った。

サンタクルーズに来たのは二〇年前、モントレー湾に面して、温暖で、街に花が多いことが気に入った。ミリオネアー・ロード（百万長者街）という瀟洒な住宅が立ち並ぶ、海に面した絶景の高台にぼくたちを案内しながら「この辺で野宿したこともある」とぽつんと言う。

そんな彼が、神に出会って、生まれ変わった。「人間の罪をすべて背負ってくれたイエスに救われた。神は自分を愛してくれているという実感を持つことができた」と言う。麻薬も酒もやめ、ホームレスの人たちを支援するようになった。

一〇年間ほどキャルを家に泊めていたという女性と連絡することができた。ルーアンヌ・カニンガム・ヒルという女性によると、一〇年前のキャルは通常ではなかった。しかし、その後、「グレイ・ベア（灰色熊）」という名のボランティア活動に加わるようになった。このグループは貧しい老人を世話するグループだということだ。ルーアンヌによると、キャルはとても親切な人で、奉仕活動のスタッフにも評判がよく、世話をされる老人たちからも信頼されているという。

今は友人の母、九三歳のローマという女性の家に住み、彼女のために食事を作ったり、看護している。キャルと一緒にローマの家を訪ねた。ローマは椅子に座りきりで、立つこともできない。キャルは大きな冷蔵庫を開けて食品を見せてくれた。オーブンを使った簡単な食事を作っているらしい。ただ、ローマの家では寝る部屋もなく、ソファーで寝ているようだった。

最初の妻、スウェーデンのアンナ・レーナは癌のため、〇九年に亡くなった。その娘、エレーヌはキャリコート姓を名乗り、四人の子どもを育てながらバス会社の管理業務をしている。その夫はスポーツ・ジャーナリストだという。

「娘さんに脱走兵だったことは話したの？」とぼく。

「話したけど、『それがどうしたの』という感じだった」とキャル。

キャルはひとりで暮らしていて、一〇人の兄弟姉妹（一人は亡くなった）とはいつも連絡をとっているわけではないが、なにかあると助けに来てくれる。神の恩恵だとキャルはいう。

7　四八年前の嘘

話をしているうちに、キャルが嘘をついていたと言い出した。

「ベトナムで砲撃を受け、自分の左右にいた同僚が死んだり、怪我をした」というのは嘘だったというのだ。

ぼくはショックを受けた。彼の戦場体験の過酷さを語る話で、ぼくはそれを信じていた。どうしてそんな嘘をつく必要があるのだ。

キャルは「安全のためだった」と言う。かくまった人びとへの心理的負担を少なくするためか。いや、自分を脱走兵として扱ってもらうための、便宜的な嘘だったのではないか。

そういえば、戦闘についてキャルが説明したのは、この同僚が死んだ一件だけだった。

「どのくらい戦闘に参加したのか」という質問に対して、当時のキャルは、「それを言うのは難しい。五〇か六〇だろう」と答えていた。五〇回も戦闘に参加したのなら歴戦の勇者だ。それは誇張に違いない。

しかも、戦闘についての質問に対して、彼は地図を描き、「ここはディエンビエンフーだ。この谷は山に囲まれ、ここでフランス軍はベトナム軍に包囲され、降伏した。フランス軍は空軍を持たず、なすすべもなく敗北した」と、くわしくディエンビエンフーの戦いを話したのだった。何故、一〇年以上も前のフランス軍の戦闘しか説明しなかったのか。ぼくはキャルの説明の不自然さにもっと早く気づくべきだった。実のところ、キャルは一度も戦闘らしいものは経験してないのではないだろうか。「血まみれの戦場から逃げて来た脱走兵」というイメージを、自分にまといたかったのか。

「嘘をついていた」と告白されて、ぼくは一瞬ぽかんとしてしまった。ぼくはキャルの「戦闘体験」を、疑問を持たずに他人に伝えていた。

キャルは「嘘をついた。そして関わった人びとが迷惑をうけたなら、お詫びしたい。ぼくはいま、罪の意識はないし、恥かしいとも思っていない。四八年を経て、親友に真実を話せることが嬉しい。自由な気分だ。嬉しい気持ちだ」と言う。

四八年前に嘘をついていたことをキャルは覚えていた。それは彼の良心にずっと負担としてあったのだろう。嘘の戦争体験を葬ることで、彼はほっとしているようだった。しかし、ぼくは作り話だと聞いて、ショックを受けた。では、脱走した理由はどうなのだろうか。キャルは殺すことも、殺されることも嫌だと言っていたはずだ。それは本当なのだろうか、脱走した理由を聞いた。

「当時、ぼくは混乱していた。戦争は嫌だというのも、もちろん理由のひとつだ。でもそれだけではない。自分が嫌になっていた。すべてが嫌になっていた。心も身体もおかしくなっていたのだ」（キャル）

キャルがついた嘘については、その後も手紙で意見を交わした。

「真実こそが我々をつなげる方法だ」とぼくが言ったことに対し、キャルは手紙で次のように書いてきた。

「ぼくがベトナムでの自分の経験についての真実を語ったとき、君の顔に悔しさが浮かんだ。わが親愛なる友よ。君に嘘を信じさせてしまったことを許して欲しい。君の友情にはとても感謝している」（キャル）

「ぼくは君の真実についての意見に完全に同意する。真実はこの世で、もっとも貴重なものであり、また不幸なことに、非常に稀なものでもある。ぼくは自分自身をぼくの真実から遠ざけることの負担に、もう耐えられなくなっていた。ナザレのイエスの名前のひとつは真実である」（同上）

ぼくの中で、自分で描いていたベトナム戦争脱走兵のイメージが壊れていった。「殺されたくない」という彼らの言葉に、ぼくは共感したのだった。キャルもそうした脱走兵のひとりに違いないのだけれど、嘘をついて人の死を語ることは許せない。

でも、それがキャルという脱走兵だった。反戦を主張しながら、実際には麻薬に溺れていた一九歳の青年の素顔だった。

もちろん、それもベトナム戦争と無縁ではない。戦場で精神を傷つけられたキャルは、やはり戦争で人生を曲げられたアメリカの脱走兵なのだ。

8　キャルと会って

キャルを預かった当時のぼくは、何を考えていたのだろう。

六八年という時代、世界的に若者の反乱が巻き起こっていた。戦後の社会や経済が大きく変わり、ベビーブームの世代が若者になり、大学は急増した学生を受けいれる体制ができていなかった。

そして、アメリカ、フランス、ドイツ、イタリアなど、各地の青年の反乱にはベトナム戦争に反対する共通項があった。テレビが普及し、世界各地の反乱が瞬時に伝えられる時代になっていた。

「戦争はいやだ」ということは、戦争を経験した親の世代から繰り返して語られ、共感していた。それは漠然としたものだったが、脱走兵を預かる時点で、ある決意を伴うことになった。それは、秘かに脱走兵をかくまい、安全に次の場所に移すまで、責任をもつということだ。

そして、寝食を共にし、歌を歌ったり、遊んだりすることで、ある一体感が生まれてきたように思う。自分も脱走兵の仲間になったような気持ちだった。アメリカのベトナム戦争に協力する日本政府への反感もあった。国を捨て、世界人となる脱走兵を羨む気持ちもあり、その行動を励ましたいと思った。日本社会の規範や、職場の規制も、外からの視点で見ることができるようになった。ぼく自身も日本国からの抽象的な脱走兵になっていたといっていい。

キャルに会ったあと、ぼくは首都ワシントンにあるベトナム戦争兵士の記念碑を訪ねた。ちょうど六月の父の日だったため、家族連れの人が多く、戦死した兵士の名前が彫られた黒い壁の前に、赤や黄色のバラを手向けていた。黄色い服を着たボランティアの人が何人かいて、名前が彫られた個所を捜す人たちを手助けしていた。その人たちによると、彫られている名前は五万八〇〇〇人になる。

一方、ベトナムで犠牲になった人は三百万人といわれている。またアメリカが使った猛毒の

ワシントンにあるベトナム戦争兵士の記念碑

ダイオキシンを含む大量の枯葉剤によるガンと先天性異常は、今なお人々を苦しめている。

ワシントンの記念碑では、赤いバラは戦死者に、黄色いバラは行方不明者に捧げるとのことだ。

名前を拓本にとっている人もいた。「兄貴の名前があるんだ。帰国する一週間前に死んじゃって。ここには毎年来てるよ」と語る人もいた。今では、兄弟が来ることは少なく、子どもや孫が来るのだそうだ。

もしキャルが脱走せずに戦場に居続けたとしたら、この記念碑に名前が彫られることになったかもしれない。でもキャルは生きている。アメリカが脱走兵にとってどんなに生きづらい社会であっても、やはり生きているほうがいい。

キャルはその後、二〇年間住んだサンタクルルーズを離れ、フロリダに住む姉マリアの夫婦の家に転居したことを伝えてきた。「美しい家で、ぼくの部屋ももらった。エアーコンディションがついていて、プールもある。好きなだけいていいと言われてるんだ」とキャルは書いてきた。フロリダでボランティア活動も続けているということだ。

キャルに電話番号を聞いて、スウェーデンにいる娘、エレーヌ・キャリコート（一九六九年生まれ）に電話してみた。二一歳を頭に、下は二歳、合せて四人の子どもがいて、育児と仕事で忙しそうだ。まず、母、アンナ・レーナはどんな人だったかと聞いた。

「母は美しく、知的で、楽しい人でした。強い人でもありました。一人でわたしを育てながら、心理学を勉強し、精神医になりました。六年前の〇九年に病気で亡くなりました」

「残念です。子どものときの父親の記憶はありますか」とぼく。

「まったくないです。二、三歳の頃に別れたから、写真しか知りません」

「お母さんからなにか聞きましたか？」

「あまり聞いていないですね。アルコールやドラッグに溺れて、刑務所に入ったとか。母はわたしを守るために別れたのかもしれない。父はわたしが一六歳のクリスマスの時に来てくれました。わたしの結婚式のときにも来てくれました」

「父親が脱走兵だったことを知ってますか？」

「日本からソ連に来て、スウェーデンに来たと聞いています」

「ぼくの家に泊まったことがあるんですよ」

「日本ではホテルに泊まっていたと思ってたんですが、あなたの家とか、人びとの家に泊っていたのですね」

「脱走については、どう思いますか?」

「いいことをしたと思いますよ。彼のことを誇りに思っています。戦争は恐ろしいものです。彼は平和を求めたのだと思います」

父親を誇りに思うというエレーヌの言葉を聞いてほっとする思いだった。一度エレーヌに会って、その母のアンナ・レーナの面影を探してみたいと思う。

9　夕暮れの浜辺

モントレー湾の浜辺のレストランで、キャルとテレビクルーも交えて食事をした。誕生日から二日遅れだったが、キャルの六八歳の誕生日プレゼントとして、カントリー・ミュージックのグループに演奏してもらった。

キャルは「君たちに会えたことが、誕生日プレゼントだよ」と喜び、その楽団のＣＤをぼく

かもめとキャル

たちにプレゼントしてくれた。その費用四〇ドルは、彼の年金生活にとって負担ではないのか。心配するぼくに、キャルは手紙をくれた。

「ぼくの年金に対する君の心配は無用だ。ぼくの年金は個人的な必要に合ったものだ。神はぼくの〝欲望〟ではなく、〝必要〟なものの供給を約束してくれている。神はどんなときでも、ぼくに必要なものを与えてくれる。食糧、衣類、寝るところ、そしてなによりも素晴らしい友達をね！」

夕暮れの浜辺を散歩した。沢山のかもめが空を飛び、キャルはそれを眺めていた。

「君は戦争を拒否した。脱走したことを後悔しているか」と尋ねた。

「後悔はしていない。正しいことをしたと思う。君は敬意を表してくれるが、本当のことを言うと、ぼくはまだ若くて、精神的にも肉体的にも病んでいて、混乱していた。悪い状況から逃げたかったのだ。その時に君と君の友人に出会った」

「戦争については、どう思う？」

「戦争には反対だ。誰かが書いていたように、戦争は組織された殺人だ。わたしたちの産業は武器を作って生産するように動いている。すべての産業が人生をよくするためでもなく、環境をよくするためでもなく、また飢えた人に食べ物を与えるためでもなく、戦争のために集中している。産業が生産したのは『死』のみだ。相手に爆弾を落として、敵を殺すことでは平和には決してたどりつけないのに。

人間がこの世に戦争をもたらしてこのかた、平和が訪れたことはない。銃は平和をもたらさないし、銃で平和を得ることもできない。戦争の結果はいつも同じだ。女性や子どもが犠牲になる。ヒロシマのように」

「日本で一番心に残っていることは何かな？」とぼくは聞いた。

キャルはひと言、ひと言、ゆっくりと答えた。

「今になって思うんだが、ぼくを泊めてくれた人が、ひとりの例外もなく、ぼくに親切で、とても敬意を払ってくれたことだ。おそらくぼくはその人たちを何度か傷つけたことだろう。そのことがぼくには、わからなかった。みんながぼくにとても優しく、寛大な心で、信頼してくれたからだ。ぼくを王様かなにかのように、敬意と寛大な心で接してくれた。それがぼくの最良の想い出だ」

ぼくは、脱走兵をかくまった人たち、ぼくの知っている限りの人たちに、その言葉を伝えることを約束した。

遅い夕陽が太平洋にゆっくりと沈んでいく。海と空が溶け合い、境目がぼんやりしてきた。キャルとの間にあった四八年間の疑問や、わだかまりも、ゆっくり溶けていった。

（了）

参考文献

『となりに脱走兵がいた時代』関谷滋・坂元良江編　思想の科学社、一九九八年
『私たちは、脱走アメリカ兵を越境させた…』高橋武智　作品社、二〇〇七年
『ベ平連と脱走米兵』阿奈井文彦　文春新書、二〇〇〇年
『脱走兵の思想―国家と軍隊への反逆』小田実・鈴木道彦・鶴見俊輔　太平出版社、一九六九年
『密漁の海で』本田良一　凱風社、二〇〇四年
『ベトナム戦争と平和』石川文洋　岩波新書、二〇〇五年
『カデナ』池澤夏樹　新潮社、二〇〇九年
『「むすびの家」物語』木村聖哉・鶴見俊輔　岩波書店、一九九七年
『兄弟よ、俺はもう帰らない』テリー・ホイットモアほか　時事通信社、一九七五年
『1968年―反乱のグローバリズム』ノルベルト・フライ　みすず書房、二〇一二年
「ベトナム脱走兵の栄光と悲惨」小中陽太郎　雑誌『文芸春秋一九七三年七月号』
『市民運動とは何か―ベ平連の思想』小田実編　徳間書店、一九六八年
『ベ平連とは何か』小田実編　徳間書店、一九六九年

『脱走の話―ベトナム戦争といま―』吉岡忍・鶴見俊輔　編集グループＳＵＲＥ、二〇〇七年
『Hearings before the Subcommittee to Investigate the Administration of the Internal Security Act and Other Internal Security Laws of the Committee on the Judiciary, United States Senate.』日本語訳「国内治安条例と他の国内治安法の執行状態の調査小委員会聴聞会（米上院）」一九七五年
『隠蔽されたベトナム戦争脱走米兵亡命作戦』関根忠三　中西出版、二〇一四年

あとがき

我が家に来た脱走兵、キャルは長い間、ぼくの心の中で眠っていた。眠ってはいたが、何かにつけて、思い出すことがあり、「どうしているかな」、「生きているかな」、「今、何を考えているかな」とキャルに思いを馳せたものだ。

半世紀も前の話で、しかもたった三泊四日の短いつきあいだが、ぼくにとって、キャルの印象は強烈で、忘れられるものではなかった。でも記憶は確実に風化する。曖昧になる記憶を補強するものとして、キャルを撮影した一六ミリ映像があったことが大きい。当時、ぼくは漠然とではあるが、「これは撮っておくべきだと」と感じて、撮影し、声を録音した。

映像では、キャルは猫に話しかけ、喜劇役者の真似をしたり、家族の話をして、しんみりしている。この映像のおかげで、ぼくは記憶を保存することができた。映像の力である。

キャルがぼくを本当に覚えてくれていたのかどうかは、わからないが、ぼくの母のことはよく覚えていた。母は、英語はできないが、キャルを相手にお芝居をしたり、身振り手振りで、キャルとコミュニケートしていた。

行方不明だったキャルが生きていたことを知った時の驚き、さらに手紙に返事が届いた時の喜びは大きかった。「キャルに会いに行こう」。そうしないと、人生の宿題が果たせないような気がした。

そして二〇一五年六月、カリフォルニアに行き、キャルと再会を果たした。お互い、すっかり顔形は変わっていたが、よく見ると、キャルの目、鼻、全体の雰囲気が昔の彼を思い出させてくれる。この時の様子は、同行した毎日放送（MBS）が取材し、昔の映像と組み合わせて編集した『映像15・我が家に来た脱走兵』が放送された。この番組は、その年の文化庁主催の芸術祭テレビ・ドキュメンタリー部門で優秀賞を受けることになった。

今回、キャルの物語を出版することにしたのは、この間の経過を映像と違うスタイルで再構成したいと思ったからだ。一六年に部落解放文学賞のノンフィクション部門で入選したものに大幅に手を加えて、まとめることにした。

さらに、まとめるにあたっては、脱走兵をめぐる問題が、過去の逸話というのではなく、今の時点で、現実的な課題として、浮かび上がる状況が生まれて来たことも考えた。

ベトナム戦争当時、日本もアメリカからベトナムに派兵することを求められた。最近の研究によると、田中角栄首相が拒否の方針をはっきり示し、理由を聞かれたら、憲法9条があるからだと答えておけと指示したという。憲法九条が参戦の防波堤となり、集団的自衛権は憲法違反とされていた。

ところが、状況は変わった。二〇一五年に安倍第二次内閣は集団的自衛権を合憲だとみなし、いわゆる戦争法案（安全保障関連法案）を強行採決した。もし、今、ベトナム戦争のような戦争が起きたら、日本政府は派兵を拒むことができるのだろうか。

韓国はアメリカに促されてベトナムに派遣して、多くの兵の命が失われた。韓国兵の戦死者は五〇〇〇人、負傷者八〇〇〇人といわれる。またベトナムでの韓国兵の残虐行動に対して、厳しい批判があり、その傷跡は消えていない。

キャルとともに根室から日本を脱出した韓国系米兵、金鎮珠については、彼をモデルにした小説が韓国で出版され、話題になっている。作家イ・デファンの作品で題名は『銃口に咲いた花』という小説だ。韓国の新聞によると作者は「戦争の運命を背負わされた人物を末長く記憶するために書いた」と話している。韓国では、ベトナム戦争の脱走兵である金鎮珠の生き方に、人が関心を寄せている。

韓国はいまだに徴兵制度がある。しかも、他の国では、介護ボランティアなど、代替の仕事が可能だが、韓国ではそれは許されていない。先日、徴兵を拒否して裁判所に提訴した青年たちと話をする機会があった。彼らは脱走兵に強い関心を持ち、「戦争を拒否する権利」を求める国際的なネットワーク作りを目指していた。

軍隊から脱走するということはどういうことか、社会にどんな影響を与え、個人にはどんな結果を生むのか。そうしたことを国を超えて考えたいと思う。

べ平連と、脱走兵援助グループであるジャテックの活動については、関谷滋、坂元良江編の『となりに脱走兵がいた時代』が詳しいので、全体像を知りたい方は読んでほしい。

キャルの娘でスウェーデンに住むエレーヌ・キャリコートからは、半世紀前の貴重な写真が提供された。彼女は『我が家に来た脱走兵』のＤＶＤを見て、泣き、生まれて初めて父親を誇らしく思った、という。

キャルは、イエスによって、嘘つきだった自分が変わったことをしっかり伝えてくれと言ってきた。

本稿では、非礼ではあるが、簡略化するため、すべて敬称を略した。

まとめるに当たって、小中陽太郎、和田長久、瀬地山敏の諸氏をはじめ、多くの人に貴重な助言や証言をいただいた。さらに編集にあたっては東方出版に、装丁は髙元秀氏に尽力してもらった。合わせて、深い謝意を表したい。

二〇一九年一二月

小山帥人

著者略歴

小山 帥人（こやま　おさひと）

1942年生まれ。京都・竹田育ち。1964年から2002年までNHK大阪放送局・映像取材に所属し、人工呼吸器をつけて学校に通う少女『歩ちゃんと30人の仲間たち』などのドキュメンタリーを企画、取材。
著書に『市民がメディアになるとき』、共編著『非営利放送とは何か－市民が創るメディア』など。

我が家に来た脱走兵—1968年のある日から

2020年２月10日　初版第１刷発行

著　者　小山帥人
装　丁　髙 元 秀
発行者　稲川博久
発行所　東方出版株式会社
〒543-0062　大阪市天王寺区逢阪2-3-2
TEL 06-6779-9571　FAX 06-6779-9573
印刷所　株式会社 国際印刷出版研究所

乱丁・落丁はお取り替え致します。
ISBN978-4-86249-384-2 C0031